U0136813

中國美術全集

中國美術全集

畫像石畫像磚二

全國百佳圖书出版單位
ARTTIME 時代出版
時代出版傳媒股份有限公司
黄山書社

目　録

東漢（公元二五年至公元二二〇年）

頁碼	名稱	時代	發現地	收藏地
256	交龍 車馬畫像石	東漢	山東鄒城市郭里鎮郭里村	山東省鄒城市孟廟
256	胡漢交戰畫像石	東漢	山東鄒城市郭里鎮高李村	山東省鄒城市孟廟
258	樓闕 人物 車騎畫像石	東漢	山東鄒城市師範學校	山東省鄒城市孟廟
258	樓闕 胡漢交戰畫像石	東漢	山東鄒城市師範學校	山東省鄒城市孟廟
260	仙樹 鳳鳥 羽人畫像石	東漢	山東鄒城市大故村	山東省鄒城市孟廟
260	伏羲 女媧 東王公畫像石	東漢	山東鄒城市郭里鎮黄路屯村	山東省鄒城市孟廟
261	人物 樂舞 神怪畫像石	東漢	山東濟寧市喻屯鎮張村	山東省濟寧市博物館
261	靈异 鋪首 門吏畫像石	東漢	山東濟寧市喻屯鎮張村	山東省濟寧市博物館
262	出行 獻俘 樂舞畫像石	東漢	山東濟寧市喻屯鎮張村	山東省濟寧市博物館
263	西王母 東王公 祥禽瑞獸畫像石	東漢	山東臨沂市白莊	山東省臨沂市博物館
264	神獸畫像石	東漢	山東臨沂市白莊	山東省臨沂市博物館
264	車騎過橋畫像石	東漢	山東臨沂市白莊	山東省臨沂市博物館
264	執刑畫像石	東漢	山東臨沂市白莊	山東省臨沂市博物館
266	大樹 朱雀 人物畫像石	東漢	山東臨沂市白莊	山東省臨沂市博物館
266	樂舞 車騎出行畫像石	東漢	山東臨沂市白莊	山東省臨沂市博物館
267	羽人神怪畫像石	東漢	山東臨沂市白莊	山東省臨沂市博物館
268	東王公 人面鳥畫像石	東漢	山東臨沂市白莊	山東省臨沂市博物館
268	羲和 斗栱畫像石	東漢	山東臨沂市白莊	山東省臨沂市博物館
269	舞蛇 羽人畫像石	東漢	山東臨沂市白莊	山東省臨沂市博物館
269	羽人 騎者畫像石	東漢	山東臨沂市白莊	山東省臨沂市博物館
270	人物 翼獸畫像石	東漢	山東臨沂市白莊	山東省臨沂市博物館
270	翼虎畫像石	東漢	山東臨沂市白莊	山東省臨沂市博物館
271	交龍畫像石	東漢	山東臨沂市工程機械廠	山東省臨沂市博物館
271	人物 神獸畫像石	東漢	山東臨沂市工程機械廠	山東省臨沂市博物館
272	朱雀 騎者畫像石	東漢	山東臨沂市工程機械廠	山東省臨沂市博物館
272	人首龍身畫像石	東漢	山東臨沂市獨樹頭鎮張官莊	山東省臨沂市博物館
273	伏羲女媧畫像石	東漢	山東臨沂市獨樹頭鎮張官莊	山東省臨沂市博物館
273	龍畫像石	東漢	山東臨沂市獨樹頭鎮張官莊	山東省臨沂市博物館
274	車騎出行畫像石	東漢	山東安丘市董家莊	山東省安丘市博物館
274	奇禽异獸畫像石	東漢	山東安丘市董家莊	山東省安丘市博物館
275	人物 异獸畫像石	東漢	山東安丘市董家莊	山東省安丘市博物館
276	車騎出行 拜謁 樂舞百戲畫像石	東漢	山東安丘市王封村	山東省安丘市博物館
277	廳堂人物畫像石	東漢	山東章丘市黄土崖	山東省章丘市博物館
278	青龍 騎士 人物畫像石	東漢	山東梁山縣梁山鎮後集村	山東省梁山縣文物管理所

頁碼	名稱	時代	發現地	收藏地
278	白虎 騎士 人物畫像石	東漢	山東梁山縣梁山鎮後集村	山東省梁山縣文物管理所
279	龍騰祥雲畫像石	東漢	山東濟南市歷城區黄臺山	山東省濟南市歷城區四門塔文物保管所
279	七盤舞畫像石	東漢	山東濟南市歷城區黄臺山	山東省濟南市歷城區四門塔文物保管所
280	怪獸畫像石	東漢	山東濟南市	山東省濟南市博物館
280	樓闕 人物畫像石	東漢	山東濟南市全福莊	山東省石刻藝術博物館
281	東王公畫像石	東漢	山東費縣垛莊鎮潘家疃村	山東省費縣歷史文物管理所
281	朱雀 鋪首銜環畫像石	東漢	山東費縣垛莊鎮潘家疃村	山東省費縣歷史文物管理所
282	輦車 龍車畫像石	東漢	山東費縣垛莊鎮潘家疃村	山東省費縣歷史文物管理所
283	迎送畫像石	東漢	山東費縣垛莊鎮潘家疃村	山東省費縣歷史文物管理所
284	龍 虎 羽人畫像石	東漢	山東費縣垛莊鎮潘家疃村	山東省費縣歷史文物管理所
284	操蛇 斬殺 异獸畫像石	東漢	山東費縣垛莊鎮潘家疃村	山東省費縣歷史文物管理所
286	樓臺人物畫像石	東漢	山東費縣垛莊鎮潘家疃村	山東省費縣歷史文物管理所
287	樓閣畫像石	東漢	山東費縣垛莊鎮潘家疃村	山東省費縣歷史文物管理所
288	上計畫像石	東漢	山東諸城市前凉臺村	山東省諸城市博物館
289	拜謁 議事畫像石	東漢	山東諸城市前凉臺村	山東省諸城市博物館
290	庖厨畫像石	東漢	山東諸城市前凉臺村	山東省諸城市博物館
291	東王公 建鼓 樂舞畫像石	東漢	山東棗莊市山亭區馮卯鎮鷗峪村	山東省棗莊市博物館
292	戰争 七女 捕魚畫像石	東漢	山東莒縣東莞鎮東莞村	山東省莒縣博物館
293	雜技 怪獸畫像石	東漢	山東莒縣沈劉莊	山東省莒縣博物館
293	大樹 射鳥畫像石	東漢	山東莒縣沈劉莊	山東省莒縣博物館
294	龍畫像石	東漢	山東莒縣沈劉莊	山東省莒縣博物館
295	人物 瑞獸畫像石	東漢	山東平陰縣孟莊	山東省平陰縣博物館
296	人物畫像石	東漢	山東平陰縣孟莊	山東省平陰縣博物館
296	人物 車騎畫像石	東漢	山東平陰縣孟莊	山東省平陰縣博物館
298	戰争 樓閣 狩獵畫像石	東漢	山東平陰縣實驗中學	山東省平陰縣博物館
298	車騎出行畫像石	東漢	山東烟臺市福山區東留公	山東省博物館
300	雙鹿畫像石	東漢	山東烟臺市福山區東留公	山東省博物館
300	鳳鳥 羽人 宴樂畫像石	東漢	山東沂水縣韓家曲村	山東省沂水縣博物館
302	狩獵出行彩繪畫像石	東漢	陝西神木縣大保當1號墓	陝西省考古研究院
303	羽人 玉兔搗藥彩繪畫像石	東漢	陝西神木縣大保當4號墓	陝西省考古研究院
304	祥禽瑞獸 狩獵出行彩繪畫像石	東漢	陝西神木縣大保當5號墓	陝西省考古研究院
305	墓主升仙 荆軻刺秦王彩繪畫像石	東漢	陝西神木縣大保當16號墓	陝西省考古研究院

頁碼	名稱	時代	發現地	收藏地
306	説唱舞蹈 車馬 白虎彩繪畫像石	東漢	陝西神木縣大保當1號墓	陝西省考古研究院
306	樓閣 青龍彩繪畫像石	東漢	陝西神木縣大保當3號墓	陝西省考古研究院
307	樓閣 白虎彩繪畫像石	東漢	陝西神木縣大保當3號墓	陝西省考古研究院
307	西王母 瑞獸彩繪畫像石	東漢	陝西神木縣大保當4號墓	陝西省考古研究院
308	西王母 瑞獸彩繪畫像石	東漢	陝西神木縣大保當4號墓	陝西省考古研究院
308	西王母 人物 玄武彩繪畫像石	東漢	陝西神木縣大保當5號墓	陝西省考古研究院
309	朱雀 鋪首銜環 獬豸彩繪畫像石	東漢	陝西神木縣大保當5號墓	陝西省考古研究院
309	東王公 門吏彩繪畫像石	東漢	陝西神木縣大保當9號墓	陝西省考古研究院
310	日神彩繪畫像石	東漢	陝西神木縣大保當11號墓	陝西省考古研究院
310	月神彩繪畫像石	東漢	陝西神木縣大保當11號墓	陝西省考古研究院
311	朱雀 鋪首銜環 白虎彩繪畫像石	東漢	陝西神木縣大保當16號墓	陝西省考古研究院
311	朱雀 鋪首銜環 青龍彩繪畫像石	東漢	陝西神木縣大保當16號墓	陝西省考古研究院
312	人物 瑞獸彩繪畫像石	東漢	陝西神木縣大保當16號墓	陝西省考古研究院
312	神鹿彩繪畫像石	東漢	陝西神木縣大保當18號墓	陝西省考古研究院
313	朱雀 鋪首銜環 白虎彩繪畫像石	東漢	陝西神木縣大保當18號墓	陝西省考古研究院
313	朱雀 鋪首銜環 青龍彩繪畫像石	東漢	陝西神木縣大保當18號墓	陝西省考古研究院
314	仙人 神獸彩繪畫像石	東漢	陝西神木縣大保當17號墓	陝西省考古研究院
315	日月 仙禽神獸彩繪畫像石	東漢	陝西神木縣大保當18號墓	陝西省考古研究院
316	神獸彩繪畫像石	東漢	陝西神木縣大保當18號墓	陝西省考古研究院
316	朱雀 鋪首銜環 白虎彩繪畫像石	東漢	陝西神木縣大保當20號墓	陝西省考古研究院
317	樓闕 門吏彩繪畫像石	東漢	陝西神木縣大保當20號墓	陝西省考古研究院
317	舞蹈人物 車馬彩繪畫像石	東漢	陝西神木縣大保當23號墓	陝西省考古研究院
318	狩獵 車馬出行彩繪畫像石	東漢	陝西神木縣大保當23號墓	陝西省考古研究院
319	馴象 騎射彩繪畫像石	東漢	陝西神木縣大保當24號墓	陝西省考古研究院
320	朱雀 鋪首銜環 獬豸彩繪畫像石	東漢	陝西神木縣大保當23號墓	陝西省考古研究院
320	西王母彩繪畫像石	東漢	陝西神木縣大保當24號墓	陝西省考古研究院
321	翼虎 玉兔搗藥 牛車畫像石	東漢	陝西綏德縣王得元墓	中國國家博物館
321	西王母 牛耕畫像石	東漢	陝西綏德縣王得元墓	中國國家博物館
322	樓閣 人物 車騎畫像石	東漢	陝西綏德縣王得元墓	中國國家博物館
323	玉兔搗藥 瑞獸畫像石	東漢	陝西綏德縣王得元墓	中國國家博物館
324	孔子見老子畫像石	東漢	陝西綏德縣劉家溝	陝西省西安碑林博物館
324	鋪首畫像石	東漢	陝西綏德縣四十里鋪	陝西省綏德縣博物館
325	宴樂畫像石	東漢	陝西綏德縣四十里鋪	陝西省綏德縣博物館
325	人物對語 駿馬畫像石	東漢	陝西綏德縣四十里鋪	陝西省綏德縣博物館

頁碼	名稱	時代	發現地	收藏地
326	拜謁 西王母畫像石	東漢	陝西綏德縣四十里鋪	陝西省綏德縣博物館
326	墓門畫像石	東漢	陝西綏德縣延家岔村	陝西省綏德縣博物館
328	神羊畫像石	東漢	陝西綏德縣延家岔村	陝西省綏德縣博物館
329	庭院畫像石	東漢	陝西綏德縣延家岔村	陝西省綏德縣博物館
329	青龍 朱雀畫像石	東漢	陝西綏德縣賀家溝	陝西省西安碑林博物館
330	人物 瑞獸畫像石	東漢	陝西綏德縣五里店	陝西省西安碑林博物館
331	朱雀 飛鳥畫像石	東漢	陝西綏德縣五里店	陝西省西安碑林博物館
331	放牧畫像石	東漢	陝西綏德縣	陝西省綏德縣博物館
332	异獸畫像石	東漢	陝西綏德縣	陝西省綏德縣博物館
333	羽人 瑞獸畫像石	東漢	陝西綏德縣	陝西省綏德縣博物館
334	幾何紋畫像石	東漢	陝西綏德縣	陝西省綏德縣博物館
335	异獸 狩獵 出行畫像石	東漢	陝西綏德縣	陝西省綏德縣博物館
336	神仙 玄武畫像石	東漢	陝西綏德縣	陝西省綏德縣博物館
336	謁見 玄武畫像石	東漢	陝西綏德縣	陝西省綏德縣博物館
337	神人 門吏 玄武畫像石	東漢	陝西綏德縣	陝西省綏德縣博物館
337	神人 門吏 玄武畫像石	東漢	陝西綏德縣	陝西省綏德縣博物館
338	車騎出行 樂舞百戲 狩獵畫像石	東漢	陝西米脂縣官莊	陝西省米脂縣博物館
340	朱雀 鋪首銜環畫像石	東漢	陝西米脂縣官莊	陝西省米脂縣博物館
340	樓閣 執彗人物 玄武畫像石	東漢	陝西米脂縣官莊	陝西省米脂縣博物館
341	朱雀 鋪首 犀牛畫像石	東漢	陝西米脂縣官莊	陝西省西安碑林博物館
342	朱雀 鋪首銜環畫像石	東漢	陝西米脂縣尚莊	陝西省米脂縣博物館
343	西王母畫像石	東漢	陝西米脂縣	陝西省米脂縣博物館
343	東王公畫像石	東漢	陝西米脂縣党家溝	陝西省米脂縣博物館
344	人物升仙 騎射畫像石	東漢	陝西米脂縣党家溝	陝西省米脂縣博物館
345	流雲 羽人 瑞獸畫像石	東漢	陝西米脂縣	陝西省米脂縣博物館
346	蔓草 神鹿畫像石	東漢	陝西米脂縣	陝西省米脂縣博物館
347	蔓草 神羊畫像石	東漢	陝西米脂縣	陝西省米脂縣博物館
348	穿璧 人物畫像石	東漢	陝西子洲縣淮寧灣	陝西省子洲縣文物管理所
348	西王母畫像石	東漢	陝西清澗縣賀家溝	陝西省清澗縣文物管理所
349	西王母 門吏畫像石	東漢	山西吕梁市離石區石盤村	山西省離石文物管理所
349	東王公 門吏畫像石	東漢	山西吕梁市離石區石盤村	山西省離石文物管理所
350	朱雀 鋪首銜環畫像石	東漢	山西吕梁市離石區石盤村	山西省離石文物管理所
350	朱雀 鋪首銜環畫像石	東漢	山西吕梁市離石區石盤村	山西省離石文物管理所
351	西王母 樓閣畫像石	東漢	山西吕梁市離石區石盤村	山西省離石文物管理所

頁碼	名稱	時代	發現地	收藏地
351	紋樣 動物畫像石	東漢	山西吕梁市離石區石盤村	山西省離石文物管理所
352	仙人 雲車畫像石	東漢	山西吕梁市離石區馬茂莊	山西省考古研究所
353	應龍 仙人畫像石	東漢	山西吕梁市離石區馬茂莊	山西省考古研究所
354	升仙畫像石	東漢	山西吕梁市離石區馬茂莊	山西省考古研究所
354	升仙畫像石	東漢	山西吕梁市離石區馬茂莊	山西省考古研究所
355	虎車畫像石	東漢	山西吕梁市離石區馬茂莊圩塌梁	山西博物院
356	輜車畫像石	東漢	山西吕梁市離石區馬茂莊左元异墓	山西博物院
356	羽人 騎士畫像石	東漢	山西柳林縣楊家坪村	山西博物院
357	异獸畫像石	東漢	江蘇沛縣栖山	江蘇省徐州漢畫像石藝術館
357	鳳鳥 長青樹畫像石	東漢	江蘇沛縣栖山	江蘇省徐州漢畫像石藝術館
358	西王母 弋射 建鼓畫像石	東漢	江蘇沛縣栖山	江蘇省徐州漢畫像石藝術館
358	羽人 麒麟畫像石	東漢	江蘇徐州市賈汪區	江蘇省徐州漢畫像石藝術館
360	西王母 庖厨 車騎出行畫像石	東漢	江蘇徐州市賈汪區青山泉鄉白集	
361	人物建築 泗水撈鼎畫像石	東漢	江蘇徐州市大廟鎮晋漢畫像石墓	
362	神農畫像石	東漢	江蘇銅山縣苗山	江蘇省徐州漢畫像石藝術館
362	神人畫像石	東漢	江蘇銅山縣苗山	江蘇省徐州漢畫像石藝術館
363	觀武畫像石	東漢	江蘇銅山縣韓樓	江蘇省徐州博物館
363	仙禽神獸畫像石	東漢	江蘇銅山縣利國鄉	江蘇省徐州漢畫像石藝術館
364	建築 輦車畫像石	東漢	江蘇銅山縣利國鄉	江蘇省徐州漢畫像石藝術館
365	建鼓 繩技畫像石	東漢	江蘇銅山縣利國鄉	江蘇省徐州漢畫像石藝術館
365	天神畫像石	東漢	江蘇銅山縣洪樓村	江蘇省徐州漢畫像石藝術館
366	拜謁 樂舞百戲 紡織畫像石	東漢	江蘇銅山縣洪樓村	中國國家博物館
366	迎賓 宴飲畫像石	東漢	江蘇銅山縣洪樓村	江蘇省徐州漢畫像石藝術館
367	宴飲畫像石	東漢	江蘇銅山縣漢王鄉東沿村	江蘇省徐州漢畫像石藝術館
368	庖厨 車騎畫像石	東漢	江蘇銅山縣漢王鄉東沿村	江蘇省徐州漢畫像石藝術館
369	建鼓 庖厨畫像石	東漢	江蘇銅山縣漢王鄉東沿村	江蘇省徐州漢畫像石藝術館
370	樂武君畫像石	東漢	江蘇銅山縣漢王鄉東沿村	江蘇省徐州漢畫像石藝術館
371	六博畫像石	東漢	江蘇銅山縣臺上	江蘇省徐州漢畫像石藝術館
371	樓閣 六博 雜技畫像石	東漢	江蘇銅山縣	江蘇省北洞山漢墓陳列館
372	交龍 車騎者 建築 人物畫像石	東漢	江蘇銅山縣茅莊	江蘇省徐州漢畫像石藝術館
373	軺車畫像石	東漢	江蘇銅山縣大泉	江蘇省徐州漢畫像石藝術館
373	二龍穿璧畫像石	東漢	江蘇銅山縣	江蘇省徐州漢畫像石藝術館
374	青龍 鳳鳥畫像石	東漢	江蘇銅山縣	江蘇省徐州漢畫像石藝術館
374	祥禽 瑞獸畫像石	東漢	江蘇銅山縣	江蘇省徐州漢畫像石藝術館

頁碼	名稱	時代	發現地	收藏地
375	鋪首銜環 鳳鳥畫像石	東漢	江蘇睢寧縣雙溝	江蘇省徐州漢畫像石藝術館
375	伏羲 女媧畫像石	東漢	江蘇睢寧縣雙溝	江蘇省徐州漢畫像石藝術館
376	羽人戲鹿 龍虎畫像石	東漢	江蘇睢寧縣張圩	江蘇省睢寧縣博物館
376	樓闕 人物畫像石	東漢	江蘇睢寧縣張圩	江蘇省睢寧縣博物館
377	侍者 貴婦畫像石	東漢	江蘇睢寧縣張圩	江蘇省睢寧縣博物館
377	龍 鳳 人物畫像石	東漢	江蘇睢寧縣張圩	江蘇省睢寧縣博物館
378	仙人 鳳鳩 白虎畫像石	東漢	江蘇睢寧縣張圩	江蘇省睢寧縣博物館
378	庖厨 宴飲畫像石	東漢	江蘇睢寧縣張圩	江蘇省睢寧縣博物館
379	人物 喂馬畫像石	東漢	江蘇睢寧縣張圩	江蘇省睢寧縣博物館
379	鳳鳥 樓闕 人物畫像石	東漢	江蘇睢寧縣	江蘇省睢寧縣博物館
380	車馬 人物 龍鳳畫像石	東漢	江蘇睢寧縣墓山	江蘇省睢寧縣博物館
382	車騎出行畫像石	東漢	江蘇睢寧縣墓山	江蘇省睢寧縣博物館
383	鳳鳥 九尾狐 三足烏畫像石	東漢	江蘇睢寧縣雙溝	江蘇省徐州漢畫像石藝術館
384	橋梁畫像石	東漢	江蘇睢寧縣舊朱集	江蘇省徐州博物館
384	神鼎畫像石	東漢	江蘇睢寧縣舊朱集	江蘇省徐州博物館
385	鳳鳥 鋪首銜環畫像石	東漢	江蘇睢寧縣舊朱集	江蘇省徐州漢畫像石藝術館
386	侍者獻食 仙人戲鳳畫像石	東漢	江蘇睢寧縣舊朱集	江蘇省徐州漢畫像石藝術館
387	青龍 雙闕畫像石	東漢	江蘇睢寧縣	江蘇省睢寧縣博物館
388	龍鳳 建築 人物畫像石	東漢	江蘇睢寧縣郭山	江蘇省睢寧縣博物館
388	人物 瑞獸畫像石	東漢	江蘇邳州市燕子埠鎮尤村	
389	鳳凰 虬龍畫像石	東漢	江蘇邳州市白山故子墓	
389	六博畫像石	東漢	江蘇邳州市陸井墓	江蘇省徐州漢畫像石藝術館
390	車騎 宴飲 雜技畫像石	東漢	江蘇邳州市陸井墓	江蘇省徐州漢畫像石藝術館
390	犀兕 建築 人物畫像石	東漢	江蘇新沂市瓦窑	江蘇省徐州漢畫像石藝術館
391	車騎畫像石	東漢	安徽宿州市褚蘭鎮金山孜	安徽省宿州市文物管理所
391	伏羲 女媧 蓮花畫像石	東漢	安徽宿州市褚蘭鎮金山孜	安徽省博物館
392	人物 龍虎畫像石	東漢	安徽宿州市褚蘭鎮金山孜	安徽省博物館
392	朱雀 門吏 瑞羊畫像石	東漢	安徽宿州市褚蘭鎮金山孜	安徽省博物館
393	人物畫像石	東漢	安徽宿州市褚蘭鎮金山孜	安徽省博物館
394	蓮花 魚畫像石	東漢	安徽宿州市褚蘭鎮金山孜	安徽省博物館
394	車騎出行畫像石	東漢	安徽宿州市褚蘭鎮金山孜	安徽省博物館
395	交談畫像石	東漢	安徽宿州市褚蘭鎮金山孜	安徽省博物館
396	西王母 長袖舞 械鬥 捕魚畫像石	東漢	安徽宿州市褚蘭鎮寶光寺	安徽省宿州市文物管理所
397	聽琴畫像石	東漢	安徽宿州市符離集	安徽省博物館

頁碼	名稱	時代	發現地	收藏地
397	舞樂 車騎畫像石	東漢	安徽靈璧縣	安徽省靈璧縣文物管理所
398	殯葬畫像石	東漢	安徽靈璧縣九頂鎮	安徽省靈璧縣文物管理所
399	宴居 紡織畫像石	東漢	安徽靈璧縣九頂鎮	安徽省靈璧縣文物管理所
399	蹶張 翼虎畫像石	東漢	安徽淮北市電廠	安徽省淮北市博物館
400	墓門畫像石	東漢	安徽淮北市趙集	安徽省濉溪縣文物保護管理所
401	龍虎相鬥畫像石	東漢	安徽淮北市北山鄉	安徽省淮北市北山中學
401	天馬 軺車畫像石	東漢	安徽淮北市北山鄉	安徽省淮北市北山中學
402	射鳥畫像石	東漢	安徽淮北市北山鄉	安徽省淮北市北山中學
403	翼龍畫像石	東漢	安徽淮北市礦務局中學	安徽省淮北市博物館
403	翼虎畫像石	東漢	安徽淮北市礦務局中學	安徽省淮北市博物館
404	西王母 狩獵 車騎畫像石	東漢	安徽淮北市電廠	安徽省淮北市博物館
405	裸人畫像石	東漢	安徽淮北市時村塘峽子	安徽省淮北市博物館
405	二龍穿璧 异獸畫像石	東漢	安徽淮北市	安徽省淮北市博物館
406	神獸畫像石	東漢	安徽淮北市古城1號墓	安徽省淮北市博物館
406	亭長 武士畫像石	東漢	安徽亳州市十九里鎮董園村	安徽省淮北市博物館
407	武士 亭長畫像石	東漢	安徽亳州市十九里鎮董園村	安徽省淮北市博物館
408	升仙畫像石	東漢	安徽定遠縣靠山鄉	安徽省定遠縣文物管理所
408	車馬出行畫像石	東漢	安徽定遠縣靠山鄉	安徽省定遠縣文物管理所
409	蟠龍繞柱畫像石	東漢	浙江海寧市海寧中學	
410	人物畫像石	東漢	浙江海寧市海寧中學	
410	人物畫像石	東漢	浙江海寧市海寧中學	
411	佛像畫像石	東漢	四川樂山市麻浩崖墓	四川省樂山市崖墓博物館
411	挽馬畫像石	東漢	四川樂山市麻浩崖墓	四川省樂山市崖墓博物館
412	大虎畫像石	東漢	四川樂山市柿子灣崖墓	四川省樂山市崖墓博物館
412	垂釣畫像石	東漢	四川樂山市麻浩崖墓	四川省樂山市崖墓博物館
413	白虎撲雀畫像石	東漢	四川樂山市九峰鎮崖墓	四川省樂山市崖墓博物館
413	輜車 青龍畫像石	東漢	四川樂山市九峰鎮崖墓	四川省樂山市崖墓博物館
414	雙闕畫像石	東漢	四川樂山市九峰鎮崖墓	四川省樂山市崖墓博物館
414	雙虎畫像石	東漢	四川綿陽市	
415	高祖斬蛇畫像石	東漢	四川雅安市姚橋鎮	四川省雅安市漢闕博物館
415	師曠鼓琴畫像石	東漢	四川雅安市姚橋鎮	四川省雅安市漢闕博物館
416	青龍畫像石	東漢	四川渠縣新興鄉趙家村	
416	董永侍父畫像石	東漢	四川渠縣蒲家灣	
417	接吻畫像石	東漢	四川彭山縣第550號崖墓	故宫博物院

頁碼	名稱	時代	發現地	收藏地
417	雙闕 人物 瑞獸畫像石	東漢	四川彭山縣江口鎮雙河崖墓	四川省樂山市崖墓博物館
418	西王母畫像石	東漢	四川彭山縣江口鎮雙河崖墓	四川省樂山市崖墓博物館
418	車馬出行畫像石	東漢	四川彭山縣江口鎮高家溝崖墓	四川省彭山縣文物保護管理所
420	狗捕鼠畫像石	東漢	四川三臺縣郪江崖墓	
420	車馬出行 宴樂畫像石	東漢	四川成都市羊子山1號墓	重慶市博物館
421	朱雀畫像石	東漢	四川南溪縣長順坡	四川省南溪縣文物管理所
422	執鏡人物畫像石	東漢	四川成都市曾家包漢墓	四川省成都市博物館
423	紡織釀酒畫像石	東漢	四川成都市曾家包漢墓	四川省成都市博物館
424	莊園農作畫像石	東漢	四川成都市曾家包漢墓	四川省成都市博物館
425	百戲畫像石	東漢	四川長寧縣飛泉鄉七個洞崖墓	
425	迎謁 六博畫像石	東漢	四川長寧縣古河鎮	四川省長寧縣博物館
426	仙人 穿璧畫像石	東漢	四川長寧縣古河鎮	
426	龍虎繫璧畫像石	東漢	四川郫縣新勝鎮竹瓦鋪	四川博物院
428	角抵戲 水嬉迎謁畫像石	東漢	四川郫縣新勝鎮竹瓦鋪	四川博物院
428	宴客 庖厨 樂舞雜技畫像石	東漢	四川郫縣新勝鎮竹瓦鋪	四川博物院
430	白虎畫像石	東漢	四川蘆山縣沫東鎮石羊上村王暉墓	
430	青龍畫像石	東漢	四川蘆山縣沫東鎮石羊上村王暉墓	
431	少女 銘文畫像石	東漢	四川蘆山縣沫東鎮石羊上村王暉墓	
431	飲馬畫像石	東漢	四川滎經縣	四川省滎經縣嚴道故城遺址博物館
432	秘戲圖畫像石	東漢	四川滎經縣	四川省滎經縣嚴道故城遺址博物館
432	建築畫像石	東漢	四川都江堰市民興鄉	四川省都江堰市文物局
434	日月 先（仙）人騎 先（仙）人博畫像石	東漢	四川簡陽市董家埂鄉深洞村鬼頭山崖墓	四川省簡陽市文物管理所
434	升仙畫像石	東漢	四川合江縣張家溝2號墓	四川省合江縣文物保護管理所
436	敘談畫像石	東漢	四川合江縣勝利鎮磚室墓	四川省瀘州市博物館
436	雜技畫像石	東漢	四川宜賓縣弓字山崖墓	四川省宜賓縣文物管理所
437	庖厨 對飲畫像石	東漢	四川宜賓縣弓字山崖墓	四川省宜賓縣文物管理所
438	魯秋胡畫像石	東漢	四川新津縣	四川大學博物館
438	龍 鹿畫像石	東漢	四川新津縣崖墓	
440	翼馬畫像石	東漢	四川新津縣崖墓	
441	仙人六博畫像石	東漢	四川新津縣崖墓	
441	射鳥畫像石	東漢	四川新津縣崖墓	
442	戲猿畫像石	東漢	四川新津縣崖墓	
442	游戲畫像石	東漢	四川新津縣崖墓	

頁碼	名稱	時代	發現地	收藏地
443	青龍 白虎畫像石	東漢	重慶江北區龍溪鎮石券墓	
444	朱雀 玉兔 蟾蜍 青龍 白虎畫像石	東漢	重慶江北區龍溪鎮石券墓	
444	伏羲 女媧畫像石	東漢	重慶江北區盤溪漢墓	
445	伏羲 女媧畫像石	東漢	重慶璧山縣廣普鎮蠻洞坡崖墓	重慶市璧山縣文物管理所
445	雜技畫像石	東漢	重慶永川區西北鎮	重慶市永川區文物管理所

北魏（公元三八六年至公元五三四年）

頁碼	名稱	時代	發現地	收藏地
446	墓主人畫像石	北魏	河南洛陽市翟泉村北邙山甯懋石室	美國波士頓美術館
448	牛車出行畫像石	北魏	河南洛陽市翟泉村北邙山甯懋石室	美國波士頓美術館
449	庖厨畫像石	北魏	河南洛陽市翟泉村北邙山甯懋石室	美國波士頓美術館
450	庖厨畫像石	北魏	河南洛陽市翟泉村北邙山甯懋石室	美國波士頓美術館
451	孝行畫像石	北魏	河南洛陽市翟泉村北邙山甯懋石室	美國波士頓美術館
452	孝行畫像石	北魏	河南洛陽市翟泉村北邙山甯懋石室	美國波士頓美術館
453	武士畫像石	北魏	河南洛陽市翟泉村北邙山甯懋石室	美國波士頓美術館
454	墓志畫像	北魏	河南洛陽市張凹村爾朱襲墓	陝西歷史博物館
455	門吏畫像石	北魏	河南洛陽市北邙山上窑村	河南省洛陽古代藝術館
456	孝子故事畫像石	北魏	河南洛陽市	美國堪薩斯納爾遜－艾金斯美術館
457	神獸畫像石	北魏	河南洛陽市	河南省洛陽古代藝術館
458	男子升仙畫像石	北魏	河南洛陽市北邙山上窑村	河南省洛陽古代藝術館
458	女子升仙畫像石	北魏	河南洛陽市北邙山上窑村	河南省洛陽古代藝術館
460	墓主人畫像石	北魏	河南洛陽市	河南省洛陽古代藝術館
460	郭巨孝行畫像石	北魏	河南洛陽市	河南省洛陽古代藝術館
461	老萊子孝行畫像石	北魏	河南洛陽市	河南省洛陽古代藝術館
461	眉間赤孝行畫像石	北魏	河南洛陽市	河南省洛陽古代藝術館
462	孝行故事畫像石	北魏	河南洛陽市李家凹南地元謐墓	
463	孝行故事畫像石	北魏	河南洛陽市李家凹南地元謐墓	
464	墓主人畫像石	北魏	河南沁陽市西向糧管所	河南省沁陽市博物館
464	女主人畫像石	北魏	河南沁陽市西向糧管所	河南省沁陽市博物館
466	仕女畫像石	北魏	河南沁陽市西向糧管所	河南省沁陽市博物館

頁碼	名稱	時代	發現地	收藏地
466	男子畫像石	北魏	河南沁陽市西向糧管所	河南省沁陽市博物館
468	吹奏畫像石	北魏	河南洛陽市	美國
469	備馬畫像石	北魏	河南洛陽市	美國
470	青龍畫像石	北魏	河南洛陽市	河南省洛陽古代藝術館
470	白虎畫像石	北魏	河南洛陽市	河南省洛陽古代藝術館
472	仙禽神獸畫像石	北魏	河南洛陽市	河南省洛陽古代藝術館

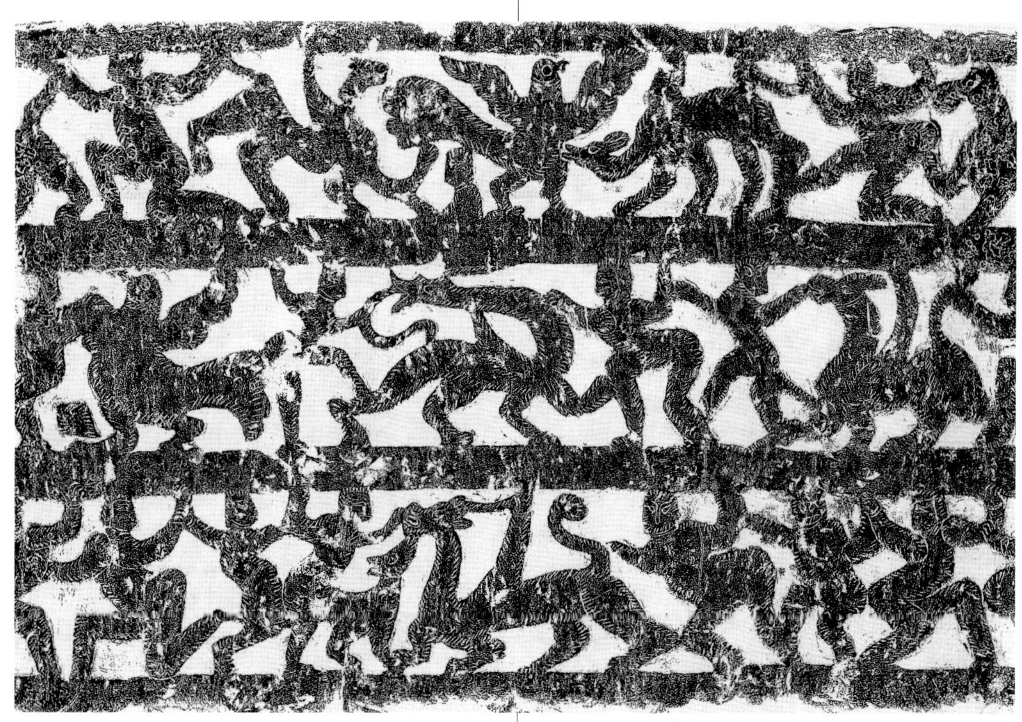

神怪畫像石（上圖）

東漢

山東泰安市大汶口鎮東門外出土。

高60厘米。

畫面分爲三層。上層爲二神怪、二翼虎、一翼鹿和一朱雀，中層爲四神怪、一翼龍、一翼鹿和一朱雀，下層爲七神怪和一翼龍。

現藏山東省泰安市博物館。

神怪 朱雀 龍畫像石

東漢

山東泰安市大汶口鎮東門外出土。

高62厘米。

畫像分爲三層。上層爲八神怪側身拱腰，雙臂屈肢上舉，一朱雀展翅而立。中層爲七神怪和二熊，皆側身拱腰，雙臂屈肢上舉。下層爲二龍相互交纏，尾立二鳥。

現藏山東省泰安市博物館。

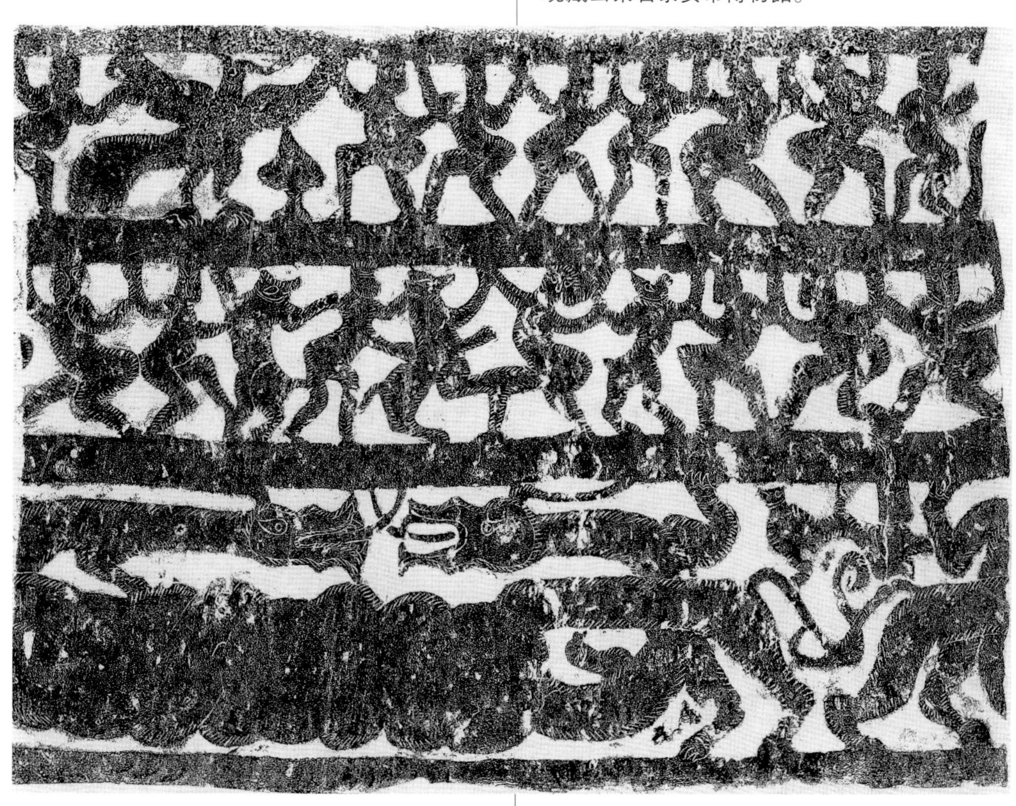

孝子故事畫像石

東漢

山東泰安市大汶口鎮東門外出土。

高44、寬210厘米。

畫像自左至右刻孝子故事三則，分别爲孝子趙苟故事、邢渠哺父故事和驪姬計殺申生故事。每則故事均有榜題，其中邢渠哺父誤刻爲“孝子丁蘭”和“此丁蘭父”。

現藏山東省泰安市博物館。

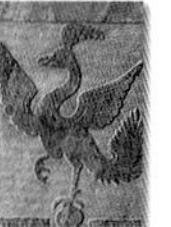

庖厨畫像石

東漢

山東泰安市大汶口鎮東門外出土。

高44、寬210厘米。

畫面上部刻勾連捲雲紋，下部表現庖厨場面，其間點綴捲雲紋和羽人圖像。

現藏山東省泰安市博物館。

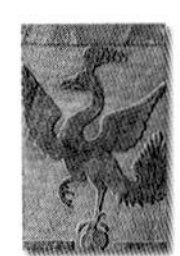

出行畫像石

東漢

山東泰安市大汶口鎮東門外出土。

高45、寬214厘米。

畫面左側爲二騎吏前導，後面隨二軺車、一輜車、一軺車和一佩劍騎吏。

現藏山東省泰安市博物館。

日 月 雙龍畫像石

東漢
山東泰安市大汶口鎮出土。
高75、寬260厘米。
畫面分爲三欄。中欄爲二龍相對，中間夾一鱼；左欄爲月輪，輪内有蟾蜍搗藥；右欄爲日輪，輪内有金烏。邊框飾以捲雲紋。
現藏山東省泰安市博物館。

石橋交戰畫像石

東漢

山東蒼山縣前姚村出土。

高83、寬218厘米。

畫面正中一石橋。橋上一軺車指揮，其後三騎一車，騎者執矛和弓，車前步卒執兵器與胡兵短兵相接，左側兵士張弓欲射，戰鬥激烈。

現藏山東省蒼山縣博物館。

狩獵 异獸畫像石

東漢

山東蒼山縣前姚村出土。

高73、寬225厘米。

畫面分爲兩層。上層爲數人狩獵場面，下層爲翻騰跳躍的龍、虎及异獸。

現藏山東省蒼山縣博物館。

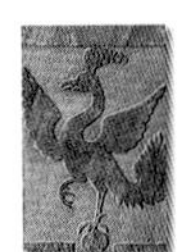

門吏 翼虎畫像石

東漢
山東蒼山縣紙坊出土。
高118、寬33厘米。
畫面分爲二層。上層爲一門吏右向側跪，下層爲一翼虎張牙舞爪。
現藏山東省蒼山縣博物館。

翼虎畫像石

東漢
山東蒼山縣城前村出土。
高109、寬26.5厘米。
邊框内刻一上行長尾翼虎，兩側有三隻小鳥。
現藏山東省蒼山縣博物館。

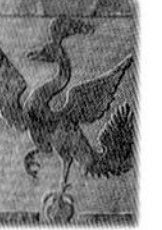

人物畫像石

東漢

山東蒼山縣城前村出土。

高107.5、寬28厘米。

畫面分爲三層。上層爲一戴籠冠者右向躬立，中層爲一戴進賢冠者右向躬立，下層爲一人攏手正面端坐。

現藏山東省蒼山縣博物館。

龍畫像石

東漢

山東蒼山縣城前村出土。

高109.5、寬26.5厘米。

畫面爲兩條長龍相盤結，頭皆向上。

現藏山東省蒼山縣博物館。

迎駕畫像石

東漢

山東蒼山縣城前村出土。

高30、寬146厘米。

圖中左側爲一門樓，樓内樓外均有迎候人物，右側爲兩輛軿車及一名導騎。

現藏山東省蒼山縣博物館。

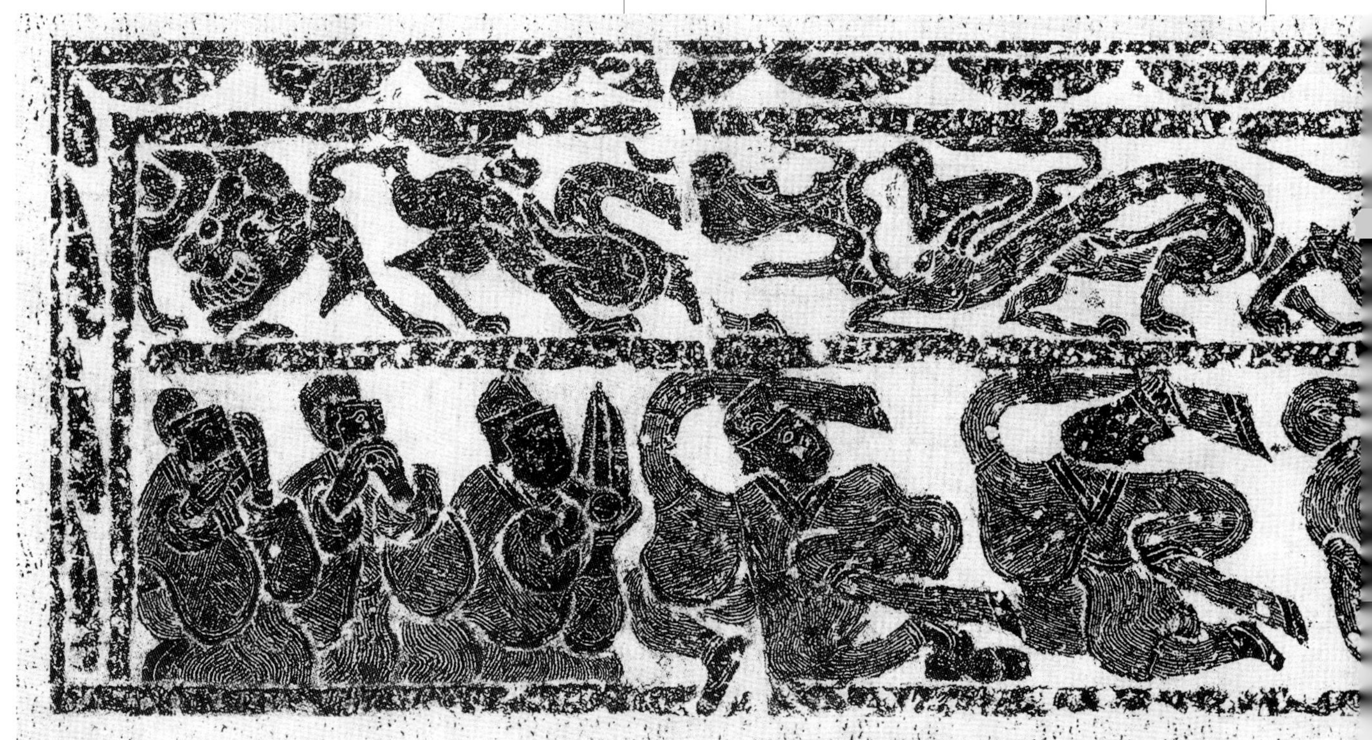

龍 獸 樂舞百戲畫像石

東漢

山東蒼山縣城前村出土。

高50、寬242厘米。

畫面分爲二層。上層爲左邊一虎二龍相戲，中部一鳥首龍身怪獸，右邊雙鶴交頸銜魚；下層爲樂舞百戲。

現藏山東省蒼山縣博物館。

祥禽瑞獸 迎賓畫像石

東漢

山東蒼山縣城前村出土。

畫面分爲二層。上層爲龍、虎、兔和鳥等祥禽瑞獸相嬉戲。下層爲迎賓場面，右邊亭長捧盾躬迎，二導騎已到面前，後隨二軺車、一斧車、一從騎，最後是一軿車。

現藏山東省蒼山縣博物館。

車騎畫像石

東漢

山東蒼山縣蘭陵鎮出土。

高47.5、寬276厘米。

圖中有一座磚石砌基雙孔大橋，上有欄杆，兩側橋堍有華表。橋上和橋左右浮雕六車和十二騎左向行進。橋下左邊洞中有兩人私語。

現藏山東省蒼山縣博物館。

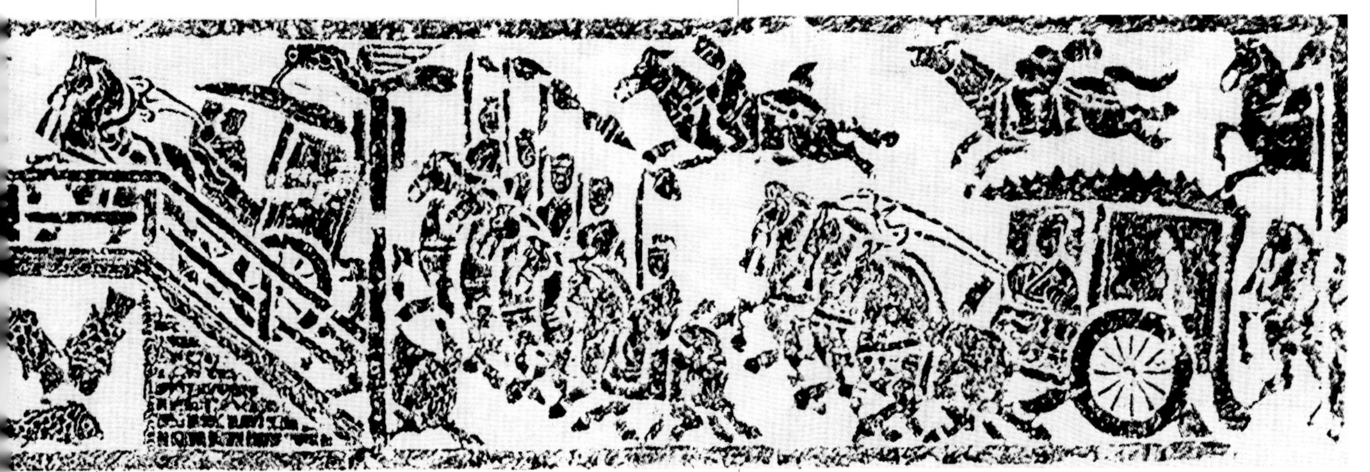

朱雀畫像石

東漢

山東曲阜市韓家鋪村出土。

高84、寬212厘米。

左右兩欄均刻一朱雀，欄周邊飾重菱紋、鑿點紋。

現藏山東省曲阜市孔廟。

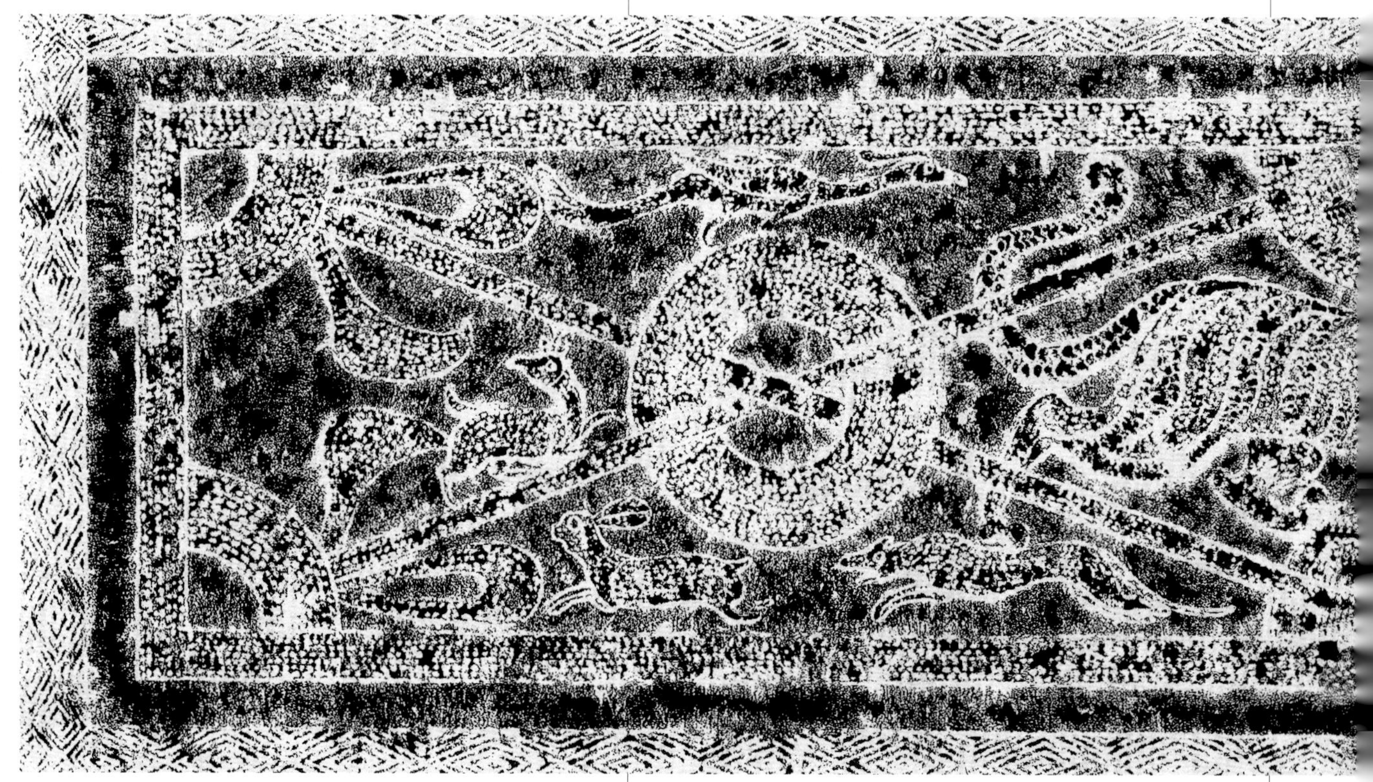

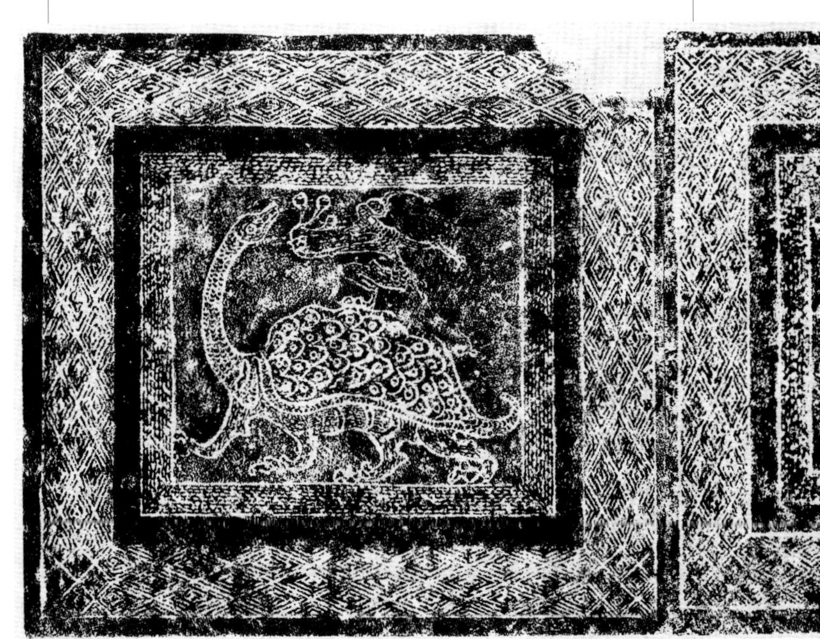

玄武畫像石（上圖）

東漢

山東曲阜市韓家鋪村出土。

高84、寬212厘米。

畫面分左右兩欄。右欄刻一右向玄武，背馱一异獸；左欄刻一左向玄武，背馱一仙人。

現藏山東省曲阜市孔廟。

白虎 穿璧紋畫像石

東漢

山東曲阜市韓家鋪村出土。

高84、寬276厘米。

畫面表現兩組穿璧紋，中間一白虎昂首右向前行，白虎周圍爲各類禽獸。

現藏山東省曲阜市孔廟。

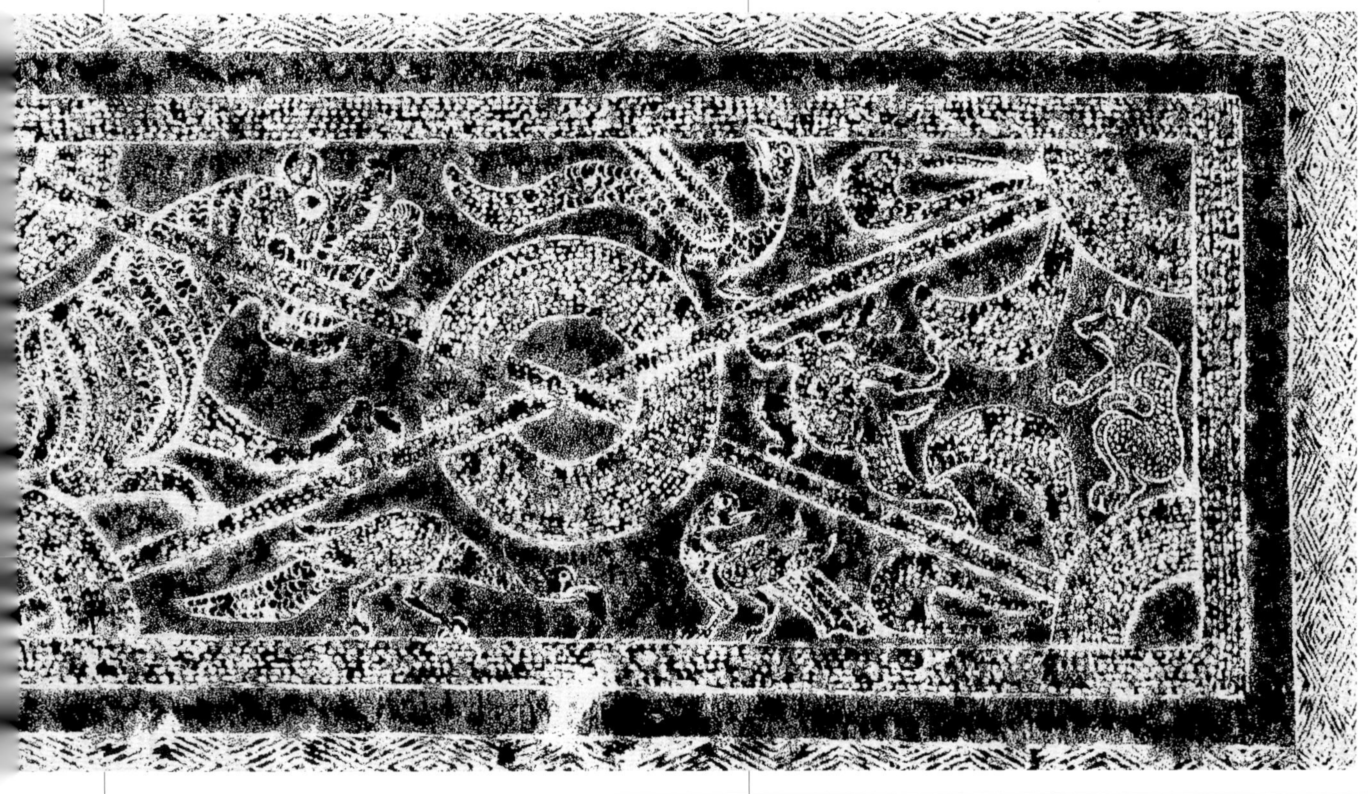

樂舞 六博畫像石

東漢
山東曲阜市韓家鋪村出土。
高84、寬232厘米。
陰綫刻建鼓、舞蹈、吹樂和六博等情景。
現藏山東省曲阜市孔廟。

樂舞 宴飲畫像石

東漢
山東曲阜市韓家鋪村出土。
高84、寬232厘米。
畫面中間表現一女子揮長袖起舞，一女子拍掌作和，左右兩側有圍者跽坐觀賞和宴飲。
現藏山東省曲阜市孔廟。

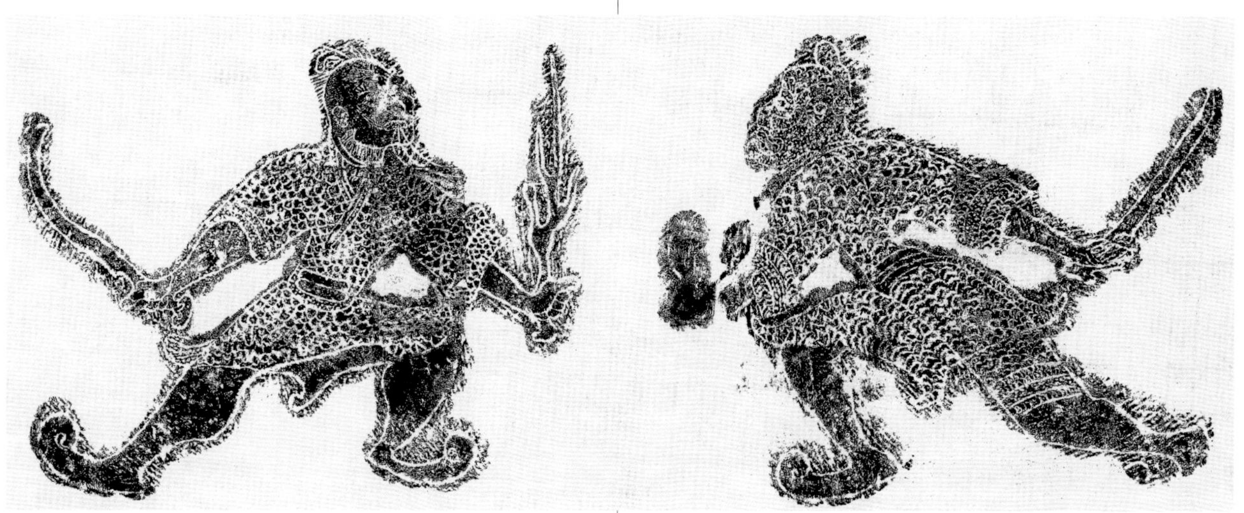

神荼 鬱壘畫像石

東漢

山東曲阜市韓家鋪村出土。

高84、寬212厘米。

圖中刻神荼、鬱壘弓步相對，左者右手執刀，左手執怪异兵器，右者左手張掌前伸，右手執刀，威猛有力。

現藏山東省曲阜市孔廟。

樓闕 人物拜見 車騎出行畫像石

東漢

山東曲阜市城關鎮顏林村出土。

高93、寬158.5厘米。

畫面殘存四格。左上格爲一樓堂雙闕，樓上三人，闕旁有迎候及衛士四人；左下格爲六騎一車出行；右上格爲拜謁場面；右下格刻一樹，樹上有鳥，樹下一人張弓仰射。

現藏山東省曲阜市孔廟。

樓闕庭院畫像石

東漢

山東曲阜市城關鎮舊縣村出土。

高116.5、寬78.5厘米。

畫面前部有大門雙闕，大門右側有一露半身的守門人；中有寬敞的廳堂，堂前院内有伎人表演樂舞雜技；後宅樓閣相連，院落重深，樓上有人撫琴，樓下有人登梯。現藏山東省曲阜市孔廟。

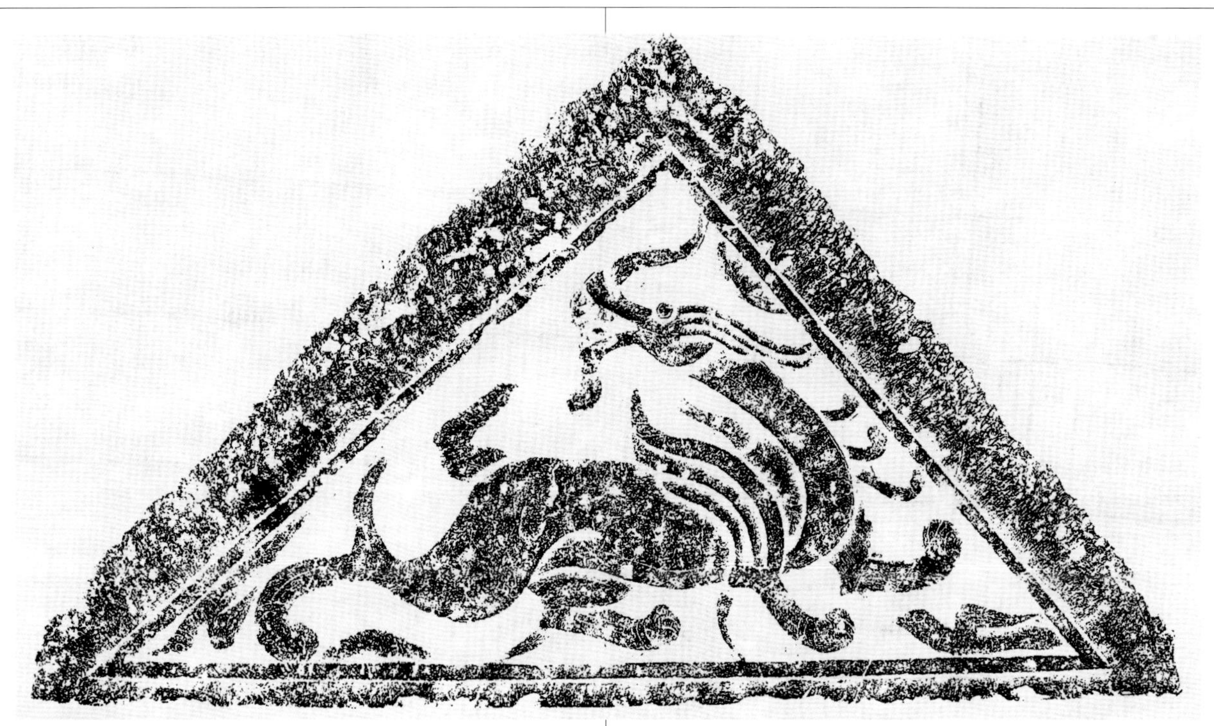

翼龍畫像石（上圖）

東漢

山東曲阜市城關鎮舊縣村出土。

高70、寬123厘米。

畫面爲一回首翼龍，外加三角邊框。

現藏山東省曲阜市孔廟。

長袖舞畫像石

東漢

山東鄒城市太平鎮王石村出土。

高62厘米、寬66厘米。

表現兩人長袖對舞，畫面樸實自然，優美生動。

現藏山東省鄒城市孟廟。

西王母畫像石

東漢

山東鄒城市高莊鄉金斗山出土。

高104、寬95厘米。

畫面上部正中刻西王母憑几而坐，兩側有侍者持便面跽侍；下部爲九尾狐、龍、虎、玄武和神鹿等异獸。

現藏山東省鄒城市孟廟。

月輪畫像石

東漢

山東鄒城市高莊鄉金斗山出土。

高162、寬190厘米。

畫面中央爲一月輪，内有蟾蜍。月輪上方爲雙龍，下方爲朱雀、羽人和白虎等异獸，間飾流雲紋。

現藏山東省鄒城市孟廟。

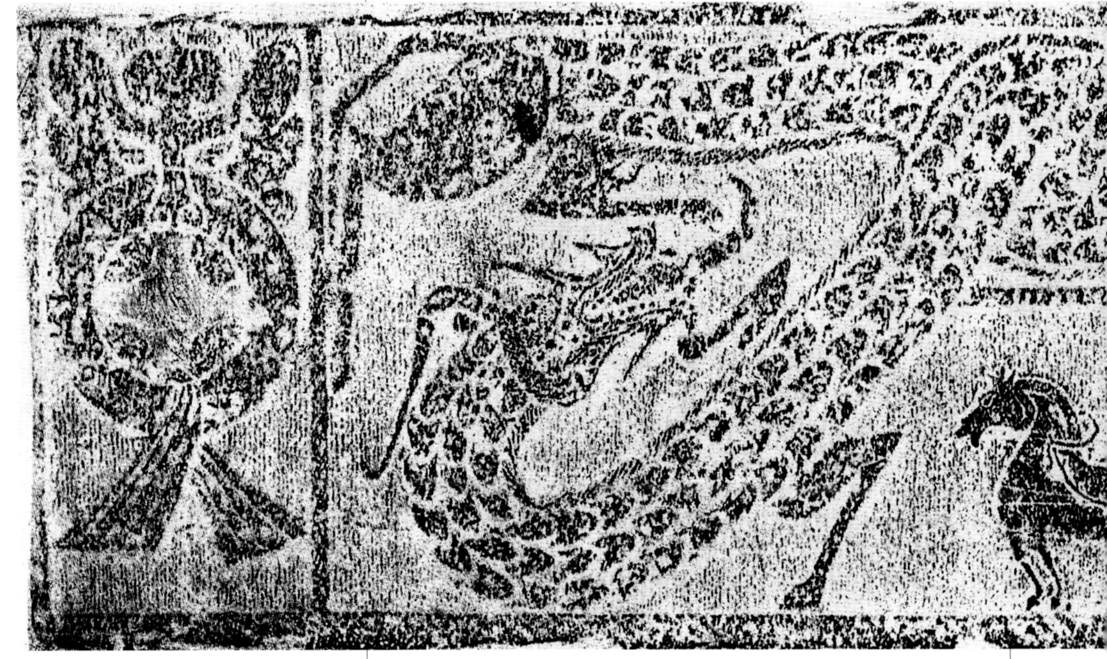

交龍 車馬畫像石
東漢
山東鄒城市郭里鎮郭里村出土。
高60、寬233厘米。
兩條長龍盤繞交結，交龍下一馬駕棚車和一騎從，畫面兩端飾鋪首銜環一對。
現藏山東省鄒城市孟廟。

胡漢交戰畫像石
東漢
山東鄒城市郭里鎮高李村出土。
高82、寬279厘米。
畫面左側爲起伏的山巒，内藏胡兵。山巒右側上層爲漢兵追擊射殺胡兵；下層左側爲漢兵斬殺胡兵，右側爲漢軍車騎場景。
現藏山東省鄒城市孟廟。

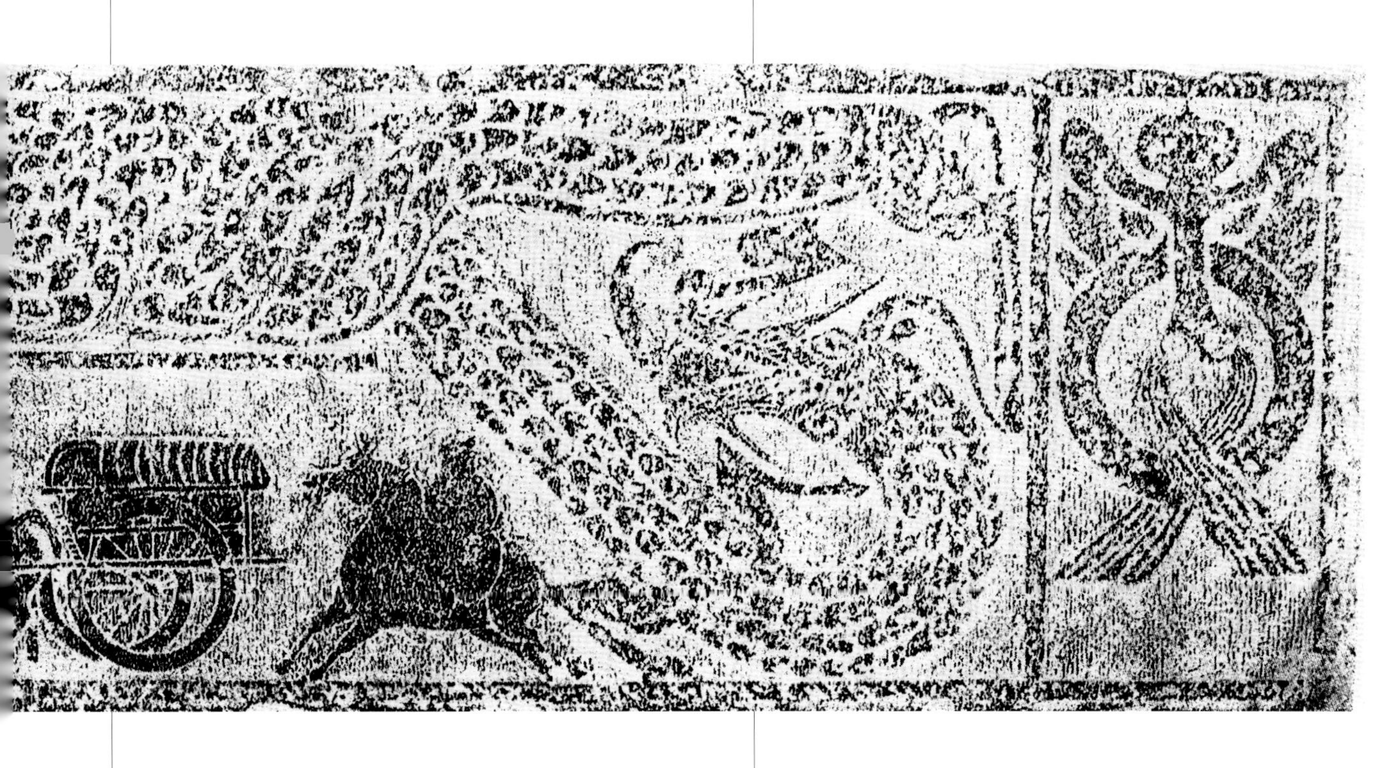

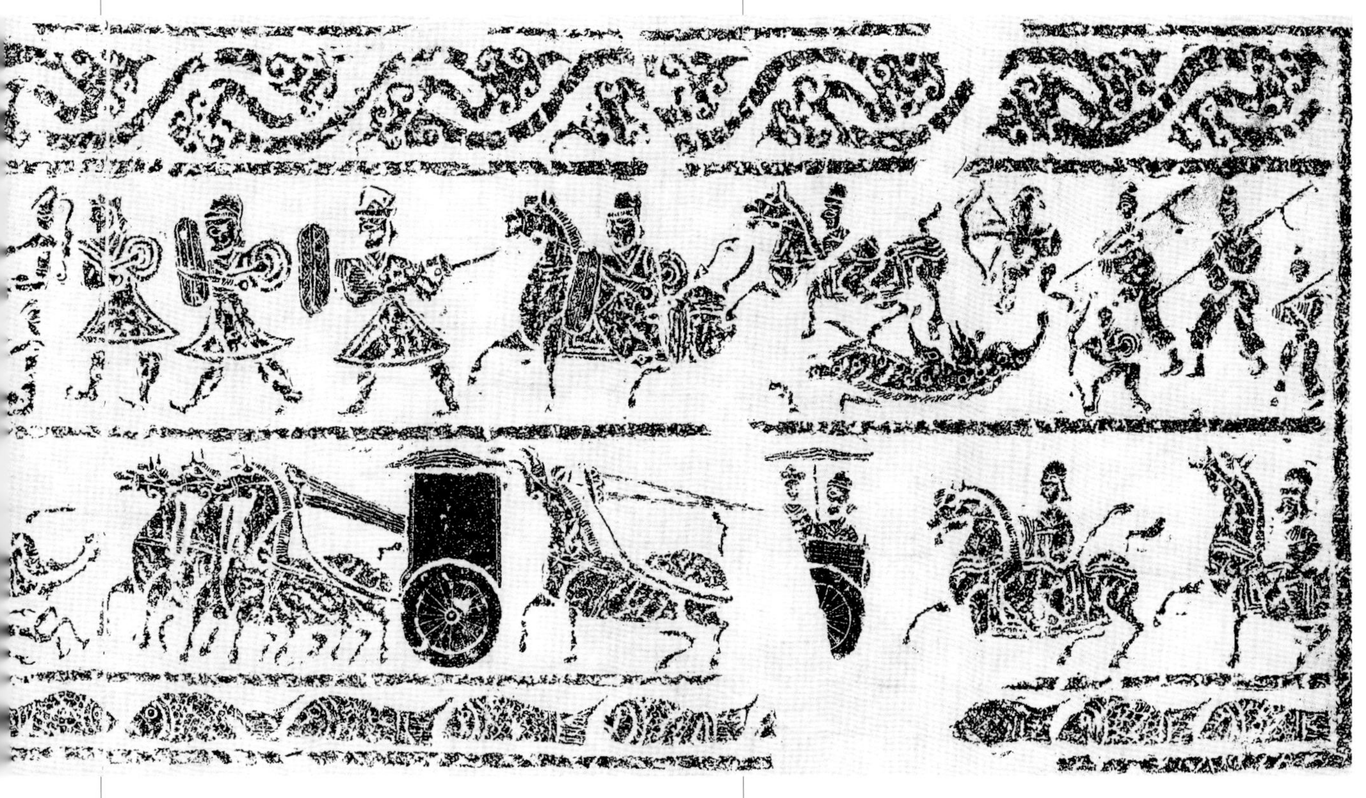

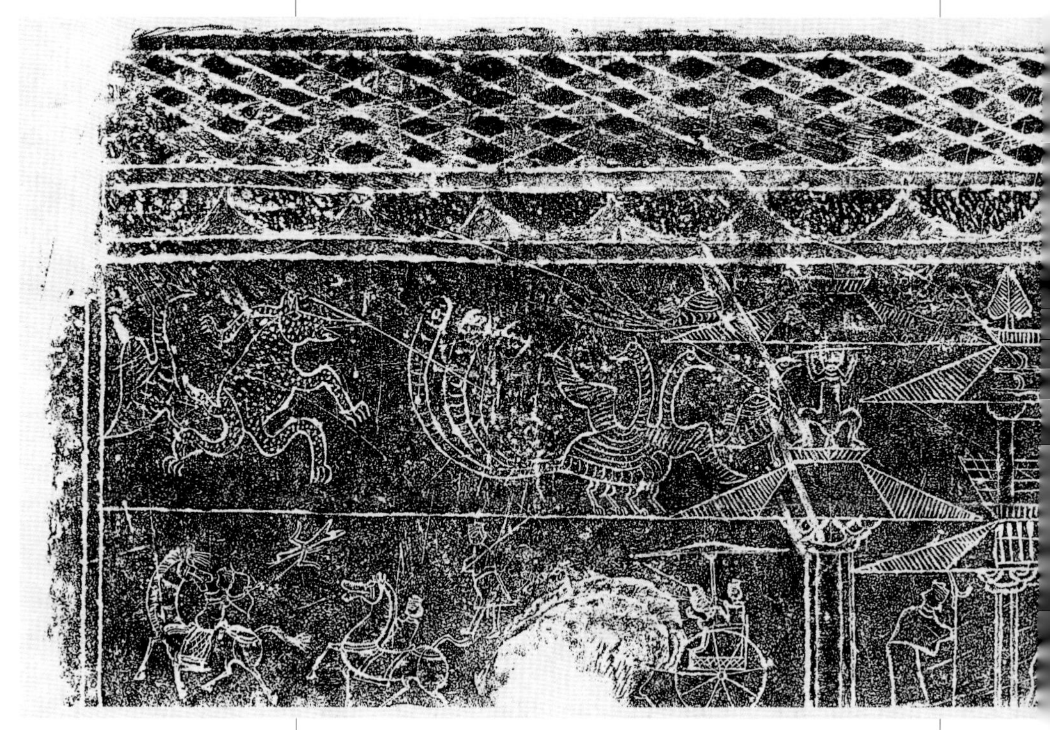

樓闕 人物 車騎畫像石

東漢
山東鄒城市師範學校出土。
高74、寬264厘米。
畫面中央立一樓閣雙闕，樓下坐主人及拜謁者，樓上坐女主人及仕女，樓外有鳳鳥、羽人、車輛及各種人物。
現藏山東省鄒城市孟廟。

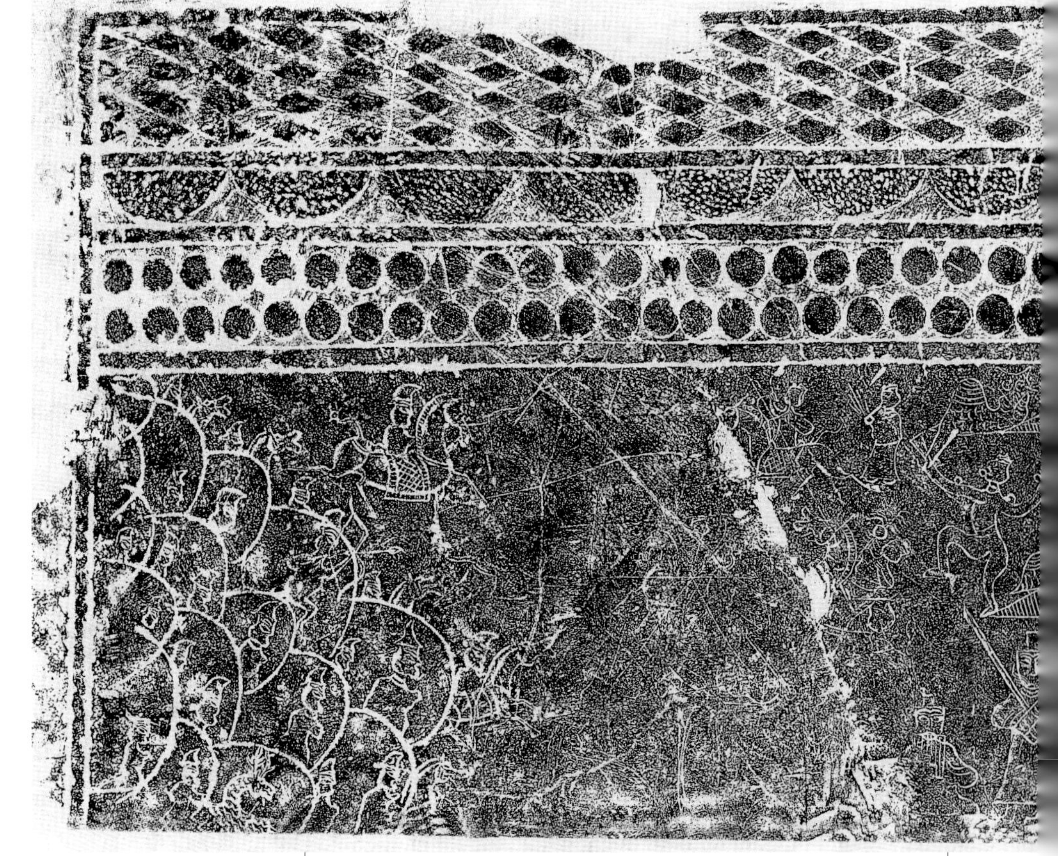

樓闕 胡漢交戰畫像石

東漢
山東鄒城市師範學校出土。
高74、寬264厘米。
畫面右半部刻一樓二闕，樓上主人端坐，兩側各二侍者，墻上挂滿兵器，樓下車騎臨門。門兩側有執戟和捧盾的門衛。左半部刻胡漢交戰場面。
現藏山東省鄒城市孟廟。

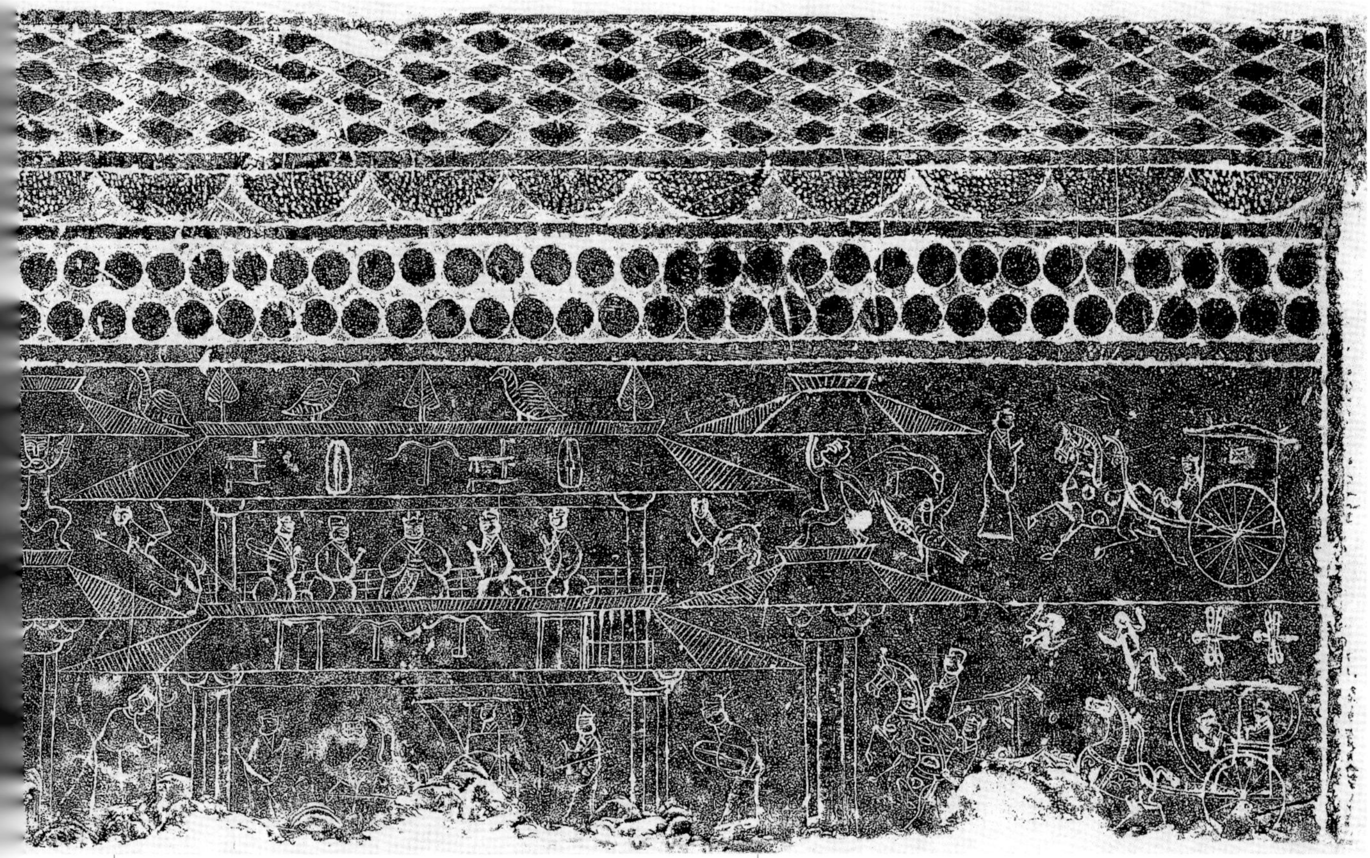

伏羲 女媧 東王公畫像石

東漢

山東鄒城市郭里鎮黄路屯村出土。

高95、寬38厘米。

畫面上部刻東王公拱手端坐，兩側爲伏羲和女媧。下部刻三鳥啄魚。

現藏山東省鄒城市孟廟。

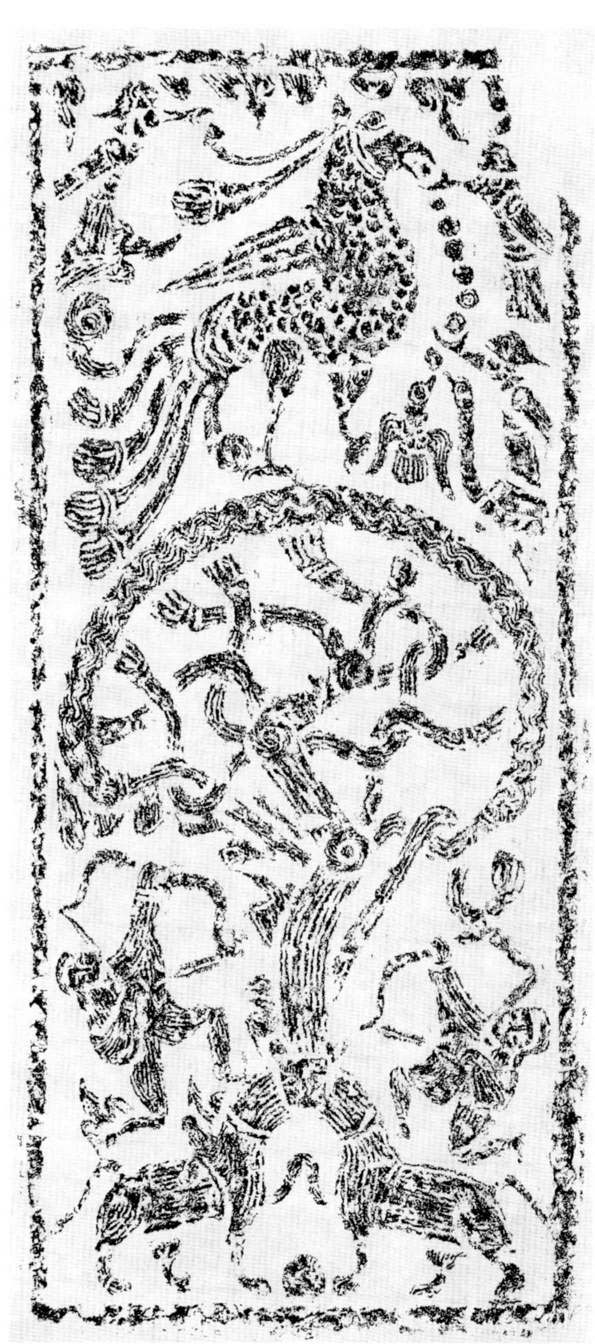

仙樹 鳳鳥 羽人畫像石

東漢

山東鄒城市大故村出土。

高83、寬42厘米。

畫面中一株仙樹，樹根與一連體雙虎頭部相連，樹上部有鳳鳥和羽人，樹下部兩人彎弓仰射。

現藏山東省鄒城市孟廟。

人物 樂舞 神怪畫像石

東漢

山東濟寧市喻屯鎮張村出土。

高157、寬50厘米。

畫面分爲三層。第一層分別有站立、跽坐和奏樂者各一排；第二層爲建鼓舞，建鼓兩旁有伎人倒立和舞蹈；第三層爲怪獸和巨目神怪。

現藏山東省濟寧市博物館。

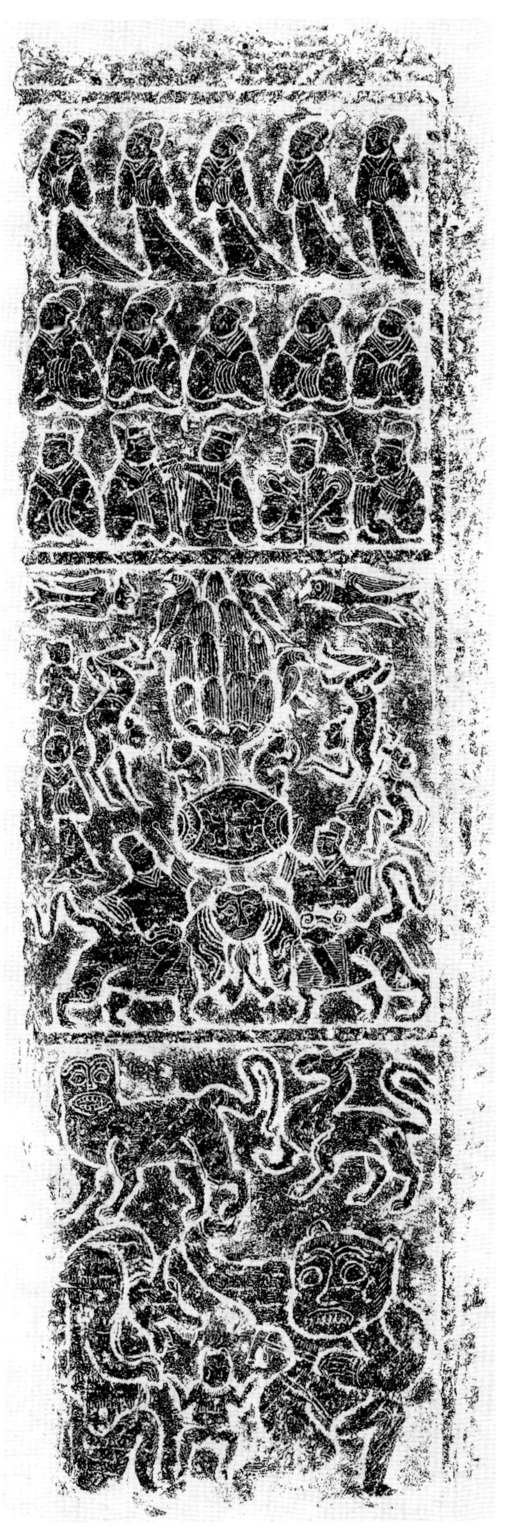

靈异 鋪首 門吏畫像石

東漢

山東濟寧市喻屯鎮張村出土。

高157、寬50厘米。

自上而下刻畫羽人飼鳳、大象負人、鋪首銜環、九頭人面獸、翼龍和門吏等圖像。

現藏山東省濟寧市博物館。

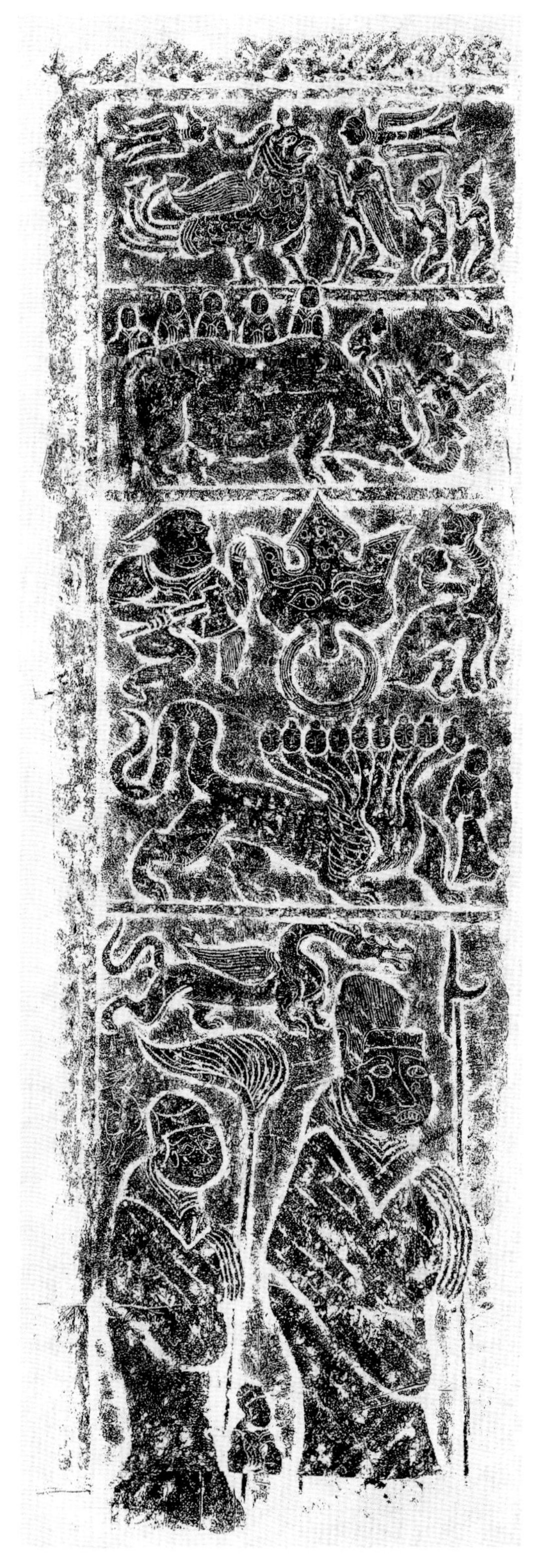

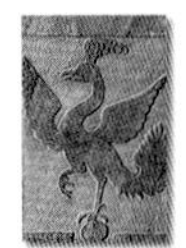

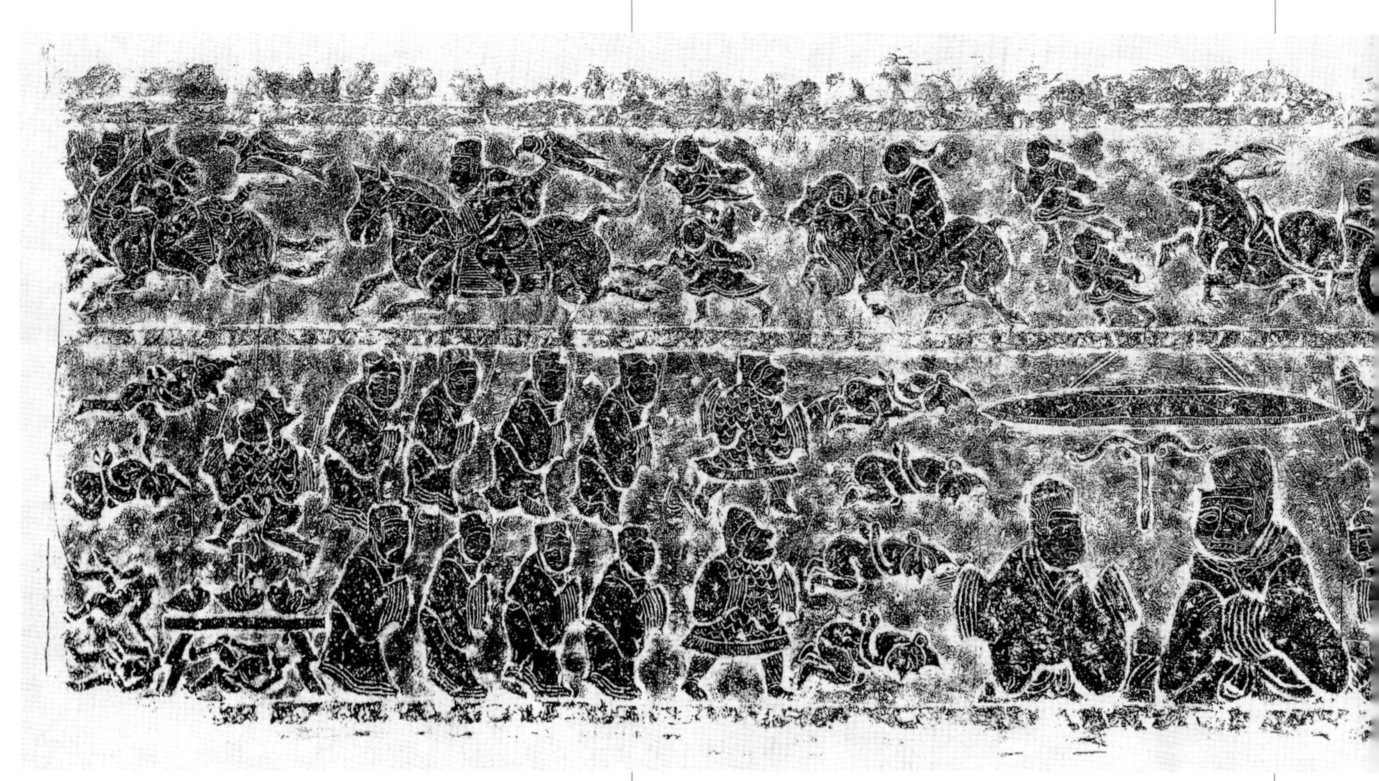

出行 獻俘 樂舞畫像石

東漢

山東濟寧市喻屯鎮張村出土。

高58、寬242厘米。

畫面分爲二層。上層爲車騎出行；下層左端爲獻俘場面，右端爲樂舞場面。

現藏山東省濟寧市博物館。

西王母 東王公 祥禽瑞獸畫像石

東漢

山東臨沂市白莊出土。

高51.5、寬283厘米。

畫面分爲二層。西王母、東王公左右相對端坐于寶座上，圖像穿過上下二層。上層爲玉兔搗藥和羽人跳舞等，下層爲羽人騎鳳、九尾狐、四尾翼虎和人面鳥。

現藏山東省臨沂市博物館。

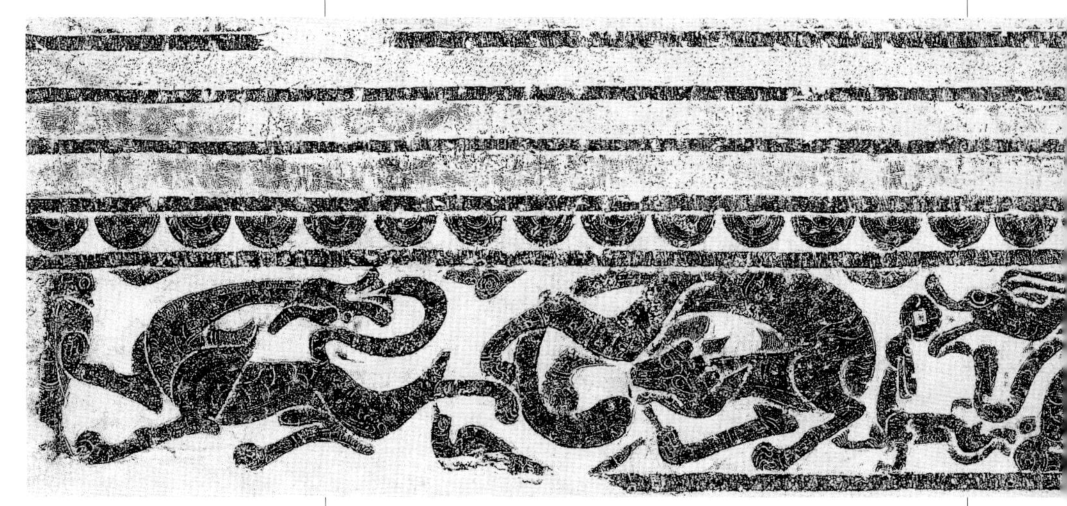

神獸畫像石

東漢
山東臨沂市白莊出土。
高51、寬260厘米。
畫面中三龍、二虎和二麒麟奔騰相戲，龍、虎和麒麟肩皆生翼。
現藏山東省臨沂市博物館。

車騎過橋畫像石

東漢
山東臨沂市白莊出土。
高51、寬298厘米。
畫面中部爲車騎過橋場面，左右畫面分兩層。左側上層八人列坐，下層一輛軿車向左行駛。右邊上層諸人執戟，下層執刀和鉤鑲者隨車疾行。
現藏山東省臨沂市博物館。

執刑畫像石

東漢
山東臨沂市白莊出土。
高51、寬277厘米。
畫面中部一人執笏跪地受刑，其後一武士執斧按其肩頭作執刑狀；畫面右部兩人正面站立，另有兩武士執戟站立，兩武士執刀向左行進；畫面左部一人佩長劍站立，一人執笏向其躬身，再右一人叉腰站立，一人荷戟向左行進。
現藏山東省臨沂市博物館。

大樹 朱雀 人物畫像石（上圖）

東漢

山東臨沂市白莊出土。

高53、寬116.5厘米。

畫面中部大樹上立四鳥，樹下一朱雀銜綬帶，樹左一佩劍人物，樹右一跪坐進食人物。

現藏山東省臨沂市博物館。

樂舞 車騎出行畫像石

東漢

山東臨沂市白莊出土。

高51、寬248厘米。

畫面分爲二層。上層爲樂舞場面，下層爲車騎出行場面。

現藏山東省臨沂市博物館。

羽人神怪畫像石（右圖）

東漢

山東臨沂市白莊出土。

高149、寬43厘米。

畫面分爲四層。一層爲一人首鳥身怪執長鈎立于大樹下，二層爲一羽人飼鳳，三層爲三羽人戲仙鹿，四層爲一執錘神怪。

現藏山東省臨沂市博物館。

東王公 人面鳥畫像石

東漢

山東臨沂市白莊出土。

高122、寬51.5厘米。

畫面分爲兩層。上層爲東王公端坐；下層爲一展翅的人面鳥，足踏一隻啄兔的蒼鷹。

現藏山東省臨沂市博物館。

羲和 斗栱畫像石

東漢

山東臨沂市白莊出土。

高121.5、寬42.5厘米。

畫面分爲兩層。上層爲人身蛇尾的日神羲和，手執規，身上一日輪，輪中有金烏和九尾狐；下層爲一山形斗栱，栱間填刻獸面，兩側刻二神人蛇尾相連和兩小兒圖像。

現藏山東省臨沂市博物館。

舞蛇 羽人畫像石

東漢

山東臨沂市白莊出土。

高121.5、寬39厘米。

畫面上部爲舞蛇神人，中部爲戴笠羽人執臿足踏鳥首怪兽，下部爲兩人相對。

現藏山東省臨沂市博物館。

羽人 騎者畫像石

東漢

山東臨沂市白莊出土。

高121.5、寬42.5厘米。

畫面上部爲對舞羽人，其下爲一曲身翼虎，再下爲對鳥，最底部爲一戴尖頂冠騎者。

現藏山東省臨沂市博物館。

人物 翼獸畫像石

東漢
山東臨沂市白莊出土。
高123、寬36厘米。
畫面分爲三層。上層爲兩人對坐交談，中層爲一鱗身帶翼怪獸，下層爲騎羊人物、雙兔及鳥。
現藏山東省臨沂市博物館。

翼虎畫像石

東漢
山東臨沂市白莊出土。
高121.5、寬39.5厘米。
畫面爲二翼虎相追逐，上邊的虎尾上刻一鳥，下邊的虎腹下刻一幼虎。
現藏山東省臨沂市博物館。

交龍畫像石

東漢

山東臨沂市工程機械廠出土。

高112、寬39厘米。

畫面爲六條龍穿插翻騰，渾然一體。

現藏山東省臨沂市博物館。

人物 神獸畫像石

東漢

山東臨沂市工程機械廠出土。

高114、寬40厘米。

畫面分爲兩層。上層立一人；下層爲兩隻帶翼、長尾、龍首的神獸。

現藏山東省臨沂市博物館。

朱雀 騎者畫像石

東漢

山東臨沂市工程機械廠出土。

高112、寬37厘米。

畫面上部爲兩朱雀對銜連珠；其下爲三騎吏縱向排列，周圍有數人跪拜；下部刻一龍。

現藏山東省臨沂市博物館。

人首龍身畫像石

東漢

山東臨沂市獨樹頭鎮張官莊出土。

高105、寬35厘米。

畫面上側及右側邊框内飾垂帳紋，畫欄内爲一蓬髮戴勝人首龍身者，兩側飾小鳥五隻。

現藏山東省臨沂市博物館。

伏羲女媧畫像石

東漢

山東臨沂市獨樹頭鎮張官莊出土。

高89、寬32厘米。

畫面左側及上側有邊框，框内飾垂帳紋，畫欄内爲伏羲女媧交尾圖，左右各飾一鳥。

現藏山東省臨沂市博物館。

龍畫像石

東漢

山東臨沂市獨樹頭鎮張官莊出土。

高105、寬35厘米。

畫面爲二長尾之龍翻騰相戲，下部之龍銜上部龍的尾巴，左側空間飾一鳥。

現藏山東省臨沂市博物館。

車騎出行畫像石（上圖）

東漢

山東安丘市董家莊出土。

高169、寬240厘米。

畫面四周飾水波紋、垂帳紋、鋸齒紋邊框。框内四層。上層刻鞍馬、翼龍、翼虎、鹿和朱雀，餘三層刻軺車和騎吏。

現藏山東省安丘市博物館。

奇禽异獸畫像石

東漢

山東安丘市董家莊出土。

高24、寬98厘米。

畫面四周邊飾垂帳紋、水波紋和鋸齒紋。畫像刻仙人戲仙禽神獸。

現藏山東省安丘市博物館。

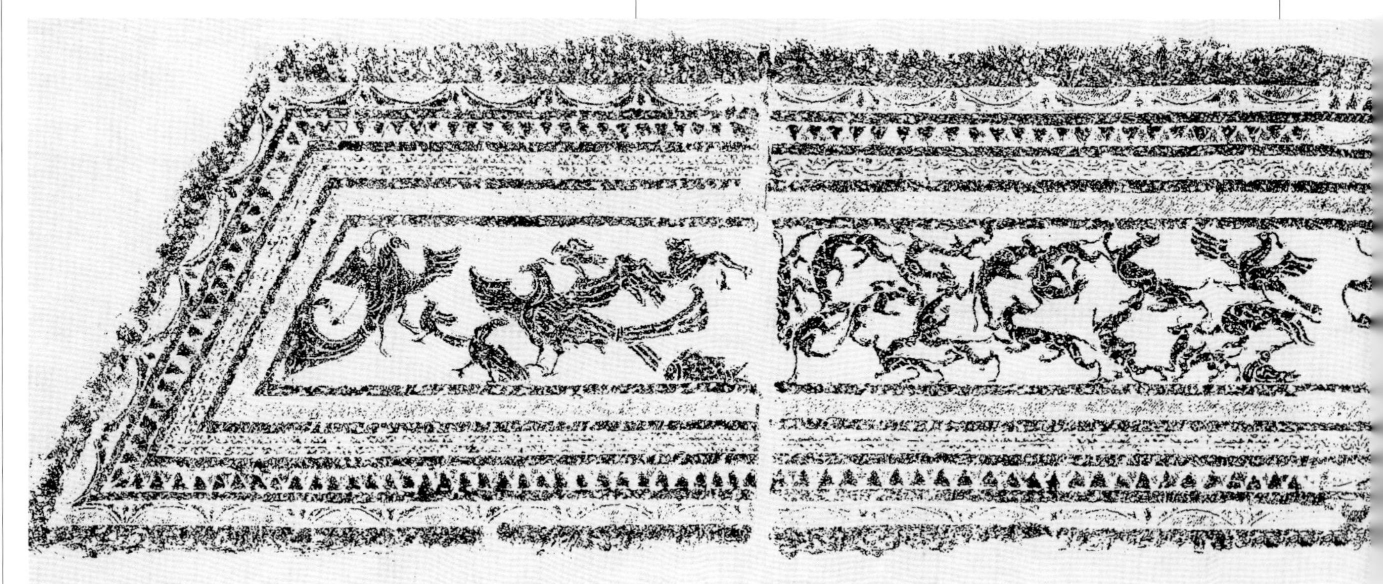

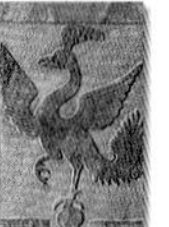

人物　异獸畫像石

東漢

山東安丘市董家莊出土。

高170、寬208厘米。

畫面四周飾菱紋、水波紋、垂帳紋和鋸齒紋。框内上層飾朱雀和仙人戲虎紋，下層飾朱雀、虎、神怪和射獵紋。

現藏山東省安丘市博物館。

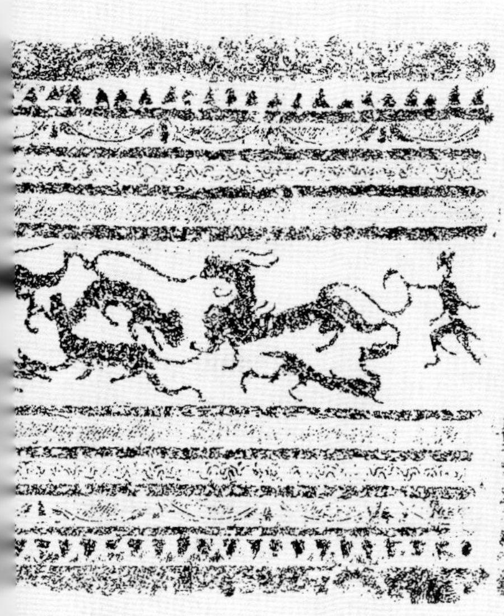

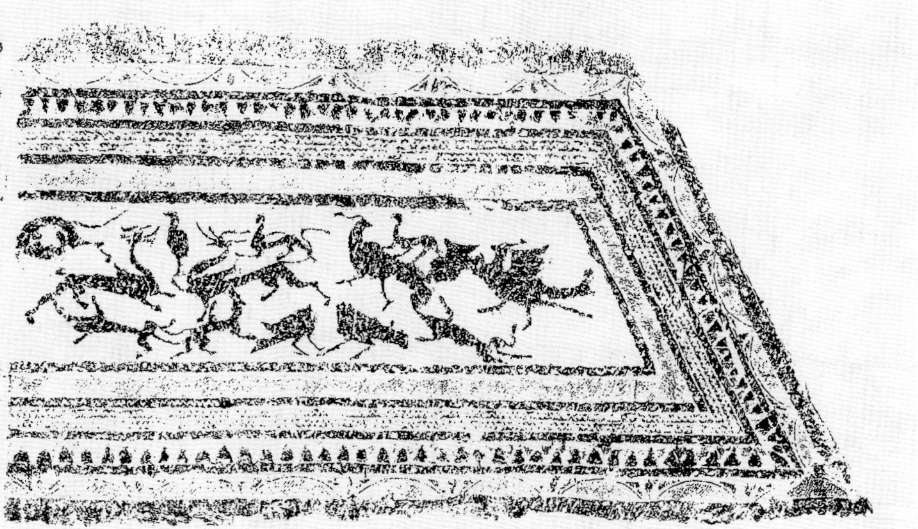

車騎出行 拜謁 樂舞百戲畫像石

東漢

山東安丘市王封村出土。

高84、寬161厘米。

畫面分爲三層。上層爲車騎出行，中層爲拜謁場面，下層爲舞樂百戲場面。

現藏山東省安丘市博物館。

廳堂人物畫像石

東漢

山東章丘市黄土崖出土。

高112、寬76厘米。

畫面上部爲一廳堂，堂内坐一人，堂外有侍者；

中部爲六博圖；下部爲宰牲圖。

現藏山東省章丘市博物館。

青龍 騎士 人物畫像石

東漢

山東梁山縣梁山鎮後集村出土。

高117、寬20.5厘米。

畫面正中刻五組菱形紋和一組弧形紋，下刻鋪首銜環；左側刻青龍；右側刻人面熊、怪獸及騎士；下部爲兩組對語人物。

現藏山東省梁山縣文物管理所。

白虎 騎士 人物畫像石

東漢

山東梁山縣梁山鎮後集村出土。

高117、寬20厘米。

畫面正中刻五組菱形紋和一組弧綫紋，下刻鋪首銜環；左側刻人面熊、騎士和魚；右側刻白虎、羽人和魚等；下部爲持笏人物。

現藏山東省梁山縣文物管理所。

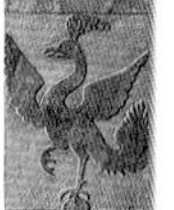

龍騰祥雲畫像石

東漢

山東濟南市歷城區黃臺山出土。

高93、寬32厘米。

畫面爲三條長龍在祥雲間翻騰。

現藏山東省濟南市歷城區四門塔文物保管所。

七盤舞畫像石

東漢

山東濟南市歷城區黃臺山出土。

高107、寬67厘米。

畫面中一女子拋長袖踏盤而舞，一人擊鼓伴奏，兩人坐觀。四周邊欄飾菱形紋和垂帳紋。

現藏山東省濟南市歷城區四門塔文物保管所。

怪獸畫像石

東漢

山東濟南市出土。

高54、寬182厘米。

邊框内飾雙菱紋和垂帳紋。畫面正中爲一虎形獸頭,虎頭生雙角，虎爪各抓一虎形獸，虎口下有一獸；右邊有小鳥一對，左邊有一虎回首怒吼。

現藏山東省濟南市博物館。

樓闕 人物畫像石

東漢

山東濟南市全福莊出土。

高77、寬165厘米。

畫面中部爲兩層樓閣，左右重檐雙闕，上有猿猴和飛鳥，下有各種人物。

現藏山東省石刻藝術博物館。

東王公畫像石

東漢
山東費縣垛莊鎮潘家疃村出土。
高112、寬32厘米。
畫面上部爲東王公合雙手端坐于仙山之上。
現藏山東省費縣歷史文物管理所。

朱雀 鋪首銜環畫像石

東漢
山東費縣垛莊鎮潘家疃村出土。
高104、寬33.5厘米。
畫面上層爲一展翅舒尾正面直立的朱雀，下層爲鋪首銜環。
現藏山東省費縣歷史文物管理所。

輦車 龍車畫像石（上圖）

東漢

山東費縣垛莊鎮潘家疃村出土。

高49、寬146厘米。

畫面左邊一人頭戴進賢冠坐于輦車上，前一人手執便面。右邊三翼龍駕一雲車，車上一御者和一主人。

現藏山東省費縣歷史文物管理所。

迎送畫像石

東漢

山東費縣垛莊鎮潘家疃村出土。

高45、寬261.5厘米。

畫面爲迎送場面。左邊亭長捧盾躬迎，二導騎已到面前，後隨一輛雙駕斧車、二從騎和一輛驅馬安車，其後又有二從騎，身後爲一人捧笏相送。

現藏山東省費縣歷史文物管理所。

龍 虎 羽人畫像石

東漢
山東費縣垛莊鎮潘家疃村出土。
高88、寬200厘米。
畫面中刻五虎、一龍和四鹿，皆有翼。三虎口銜小鹿，一龍與虎交繞，中有一羽人作騰戲狀。
現藏山東省費縣歷史文物管理所。

操蛇 斬殺 异獸畫像石

東漢
山東費縣垛莊鎮潘家疃村出土。
高49、寬264厘米。
邊框内飾垂帳紋和三角紋。畫面中、右各有立柱一根，左側一人跪坐操蛇，對面一人執矛而刺，其後有一名觀者，觀者身後有一鹿，鹿背立一鳥；右側一象形翼獸，獸前兩人執刀欲斬一人。
現藏山東省費縣歷史文物管理所。

樓臺人物畫像石

東漢

山東費縣垛莊鎮潘家疃村出土。

高103、寬128厘米。

邊框飾垂帳紋、三角紋和捲雲紋。欄内爲一多角三層樓臺，臺周邊有圍欄，欄内有主人及衆侍者，樓脊有兩人張弓射鳥。

現藏山東省費縣歷史文物管理所。

樓閣畫像石

東漢
山東費縣垛莊鎮潘家疃村出土。
高106、寬129厘米。
畫面主體爲兩座三層的樓閣，中有迴廊相連。屋頂有仙人、鳳鳥和猴子。左邊樓閣有雙門，門半掩，守門者露半身，門外蹲一犬。右邊樓閣底層設欄杆，内立五人，其一執彗。
現藏山東省費縣歷史文物管理所。

上計畫像石

東漢

山東諸城市前凉臺村出土。

殘高73.5—112、寬75厘米。

畫像分爲上下二組。上組上部殘缺，刻一廳堂，堂中二人對坐于六博盤前博弈；下組刻上計圖，一群小吏手捧計簿。

現藏山東省諸城市博物館。

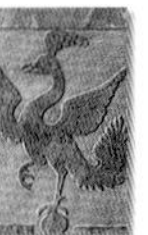

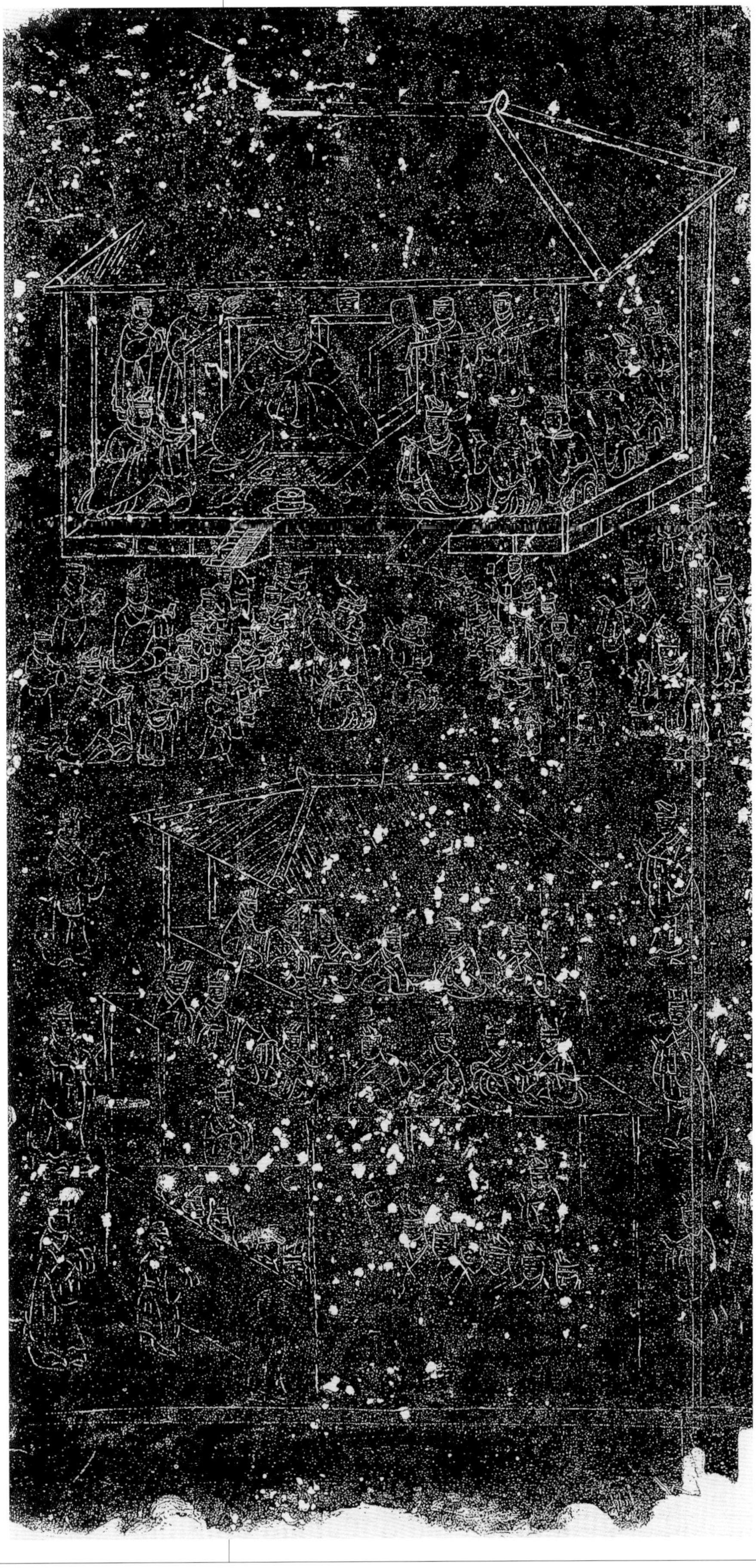

拜謁 議事畫像石

東漢
山東諸城市前凉臺村出土。
高151、寬75厘米。
畫像分上下二組。上組刻一廡殿頂廳堂，堂内主人端坐，周圍有侍者，堂前有拜謁者；下組表現三層樓房内衆多人物議事場面。
現藏山東省諸城市博物館。

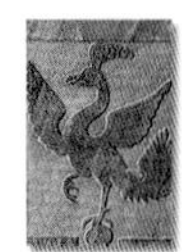

庖厨畫像石

東漢

山東諸城市前凉臺村出土。

高152、寬76厘米。

畫像表現切肉、切菜、刮魚鱗、屠狗、煺鷄毛、汲水、洗碗、劈柴和瀝酒等庖厨場面。

現藏山東省諸城市博物館。

東王公 建鼓 樂舞畫像石

東漢

山東棗莊市山亭區馮卯鎮鷗峪村出土。

高77、寬73厘米。

畫面分爲七層。一層爲東王公正中端坐，兩側刻伏羲、女媧及神獸搗藥；二層爲一排静坐人物；三層爲一列垂首行走的牛；四至七層爲建鼓、舞蹈和游戲人物。

現藏山東省棗莊市博物館。

戰争 七女 捕魚畫像石

東漢

山東莒縣東莞鎮東莞村出土。

高167、寬68厘米。

畫面分爲兩欄，右欄分六層：第一層爲羽人戲鳳；第二層爲胡漢戰争圖；第三層爲六人跪坐；第四層有榜題"七女"，應爲七女爲父報仇故事；第五層爲捕魚圖；第六層爲六條游魚。左欄爲二龍：上龍爲人首，下龍爲虎首，一羽人執龍尾。

現藏山東省莒縣博物館。

雜技 怪獸畫像石

東漢
山東莒縣沈劉莊出土。
高94、寬32厘米。
畫面上部爲四名表演雜技者，下部刻一背生四鰭、馬蹄、馬首、虎尾的怪獸。
現藏山東省莒縣博物館。

大樹 射鳥畫像石

東漢
山東莒縣沈劉莊出土。
高81、寬29厘米。
畫面主體爲一枝葉扶疏的人樹，枝葉間刻｜餘隻雀鳥、小猴。樹下一人彎弓仰射。
現藏山東省莒縣博物館。

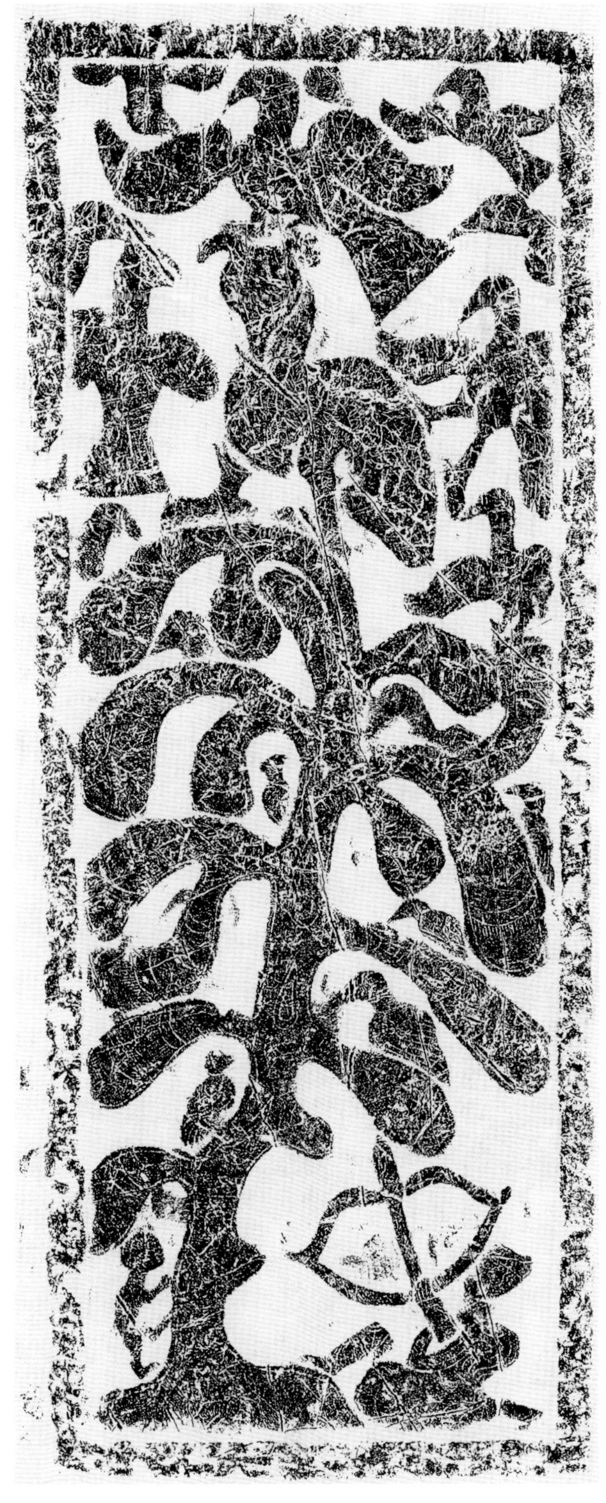

龍畫像石

東漢

山東莒縣沈劉莊出土。

高94、寬32厘米。

畫面爲上下層叠的三條龍，彎身曲體。

現藏山東省莒縣博物館。

人物 瑞獸畫像石

東漢
山東平陰縣孟莊出土。

高80、長106厘米。
畫面分爲四層，内容相近，刻人物和奇禽异獸嬉戲。
現藏山東省平陰縣博物館。

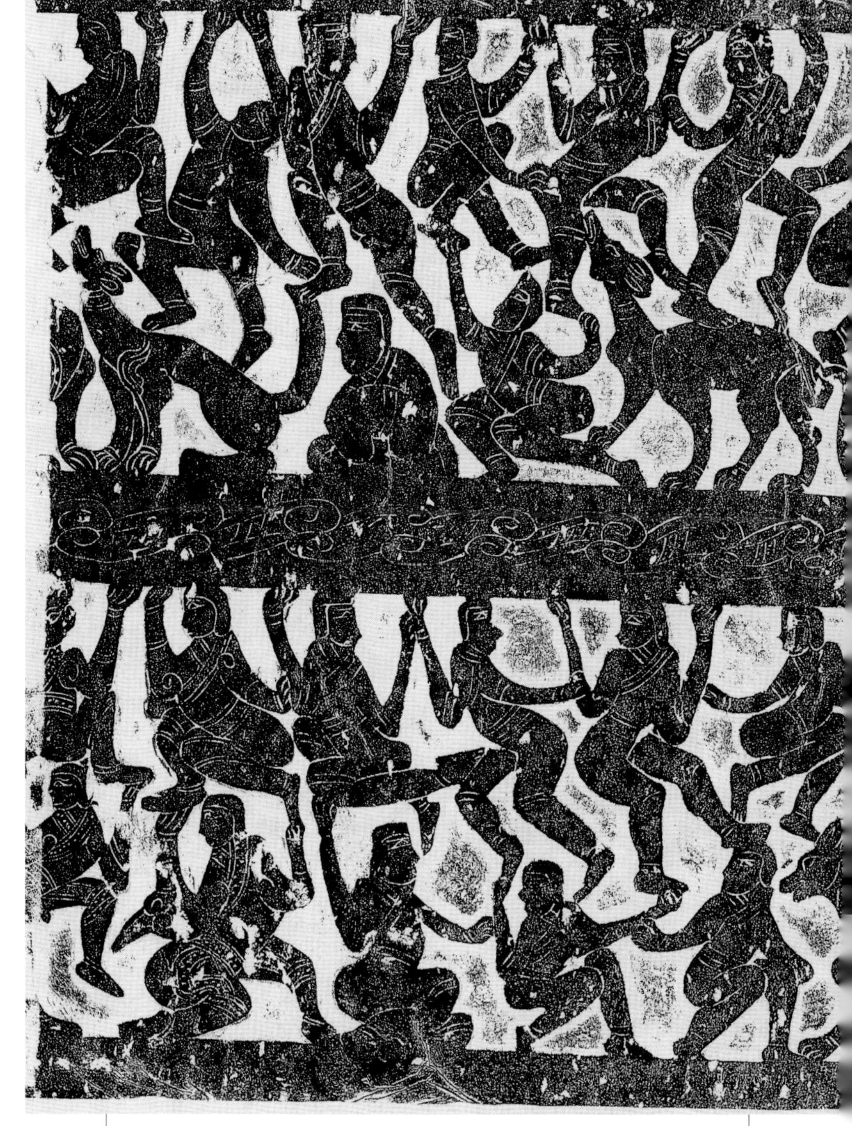

人物畫像石

東漢
山東平陰縣孟莊出土。
高60、寬121厘米。
畫面分爲兩層。上層爲人物一列，或立或蹲，手多上舉；下層爲人獸雜陳，姿態各异。
現藏山東省平陰縣博物館。

人物 車騎畫像石

東漢
山東平陰縣孟莊出土。
高49、寬260厘米。
上欄飾捲雲紋，下欄飾連弧紋，中欄爲車騎出行圖，畫面上部有榜無題。
現藏山東省平陰縣博物館。

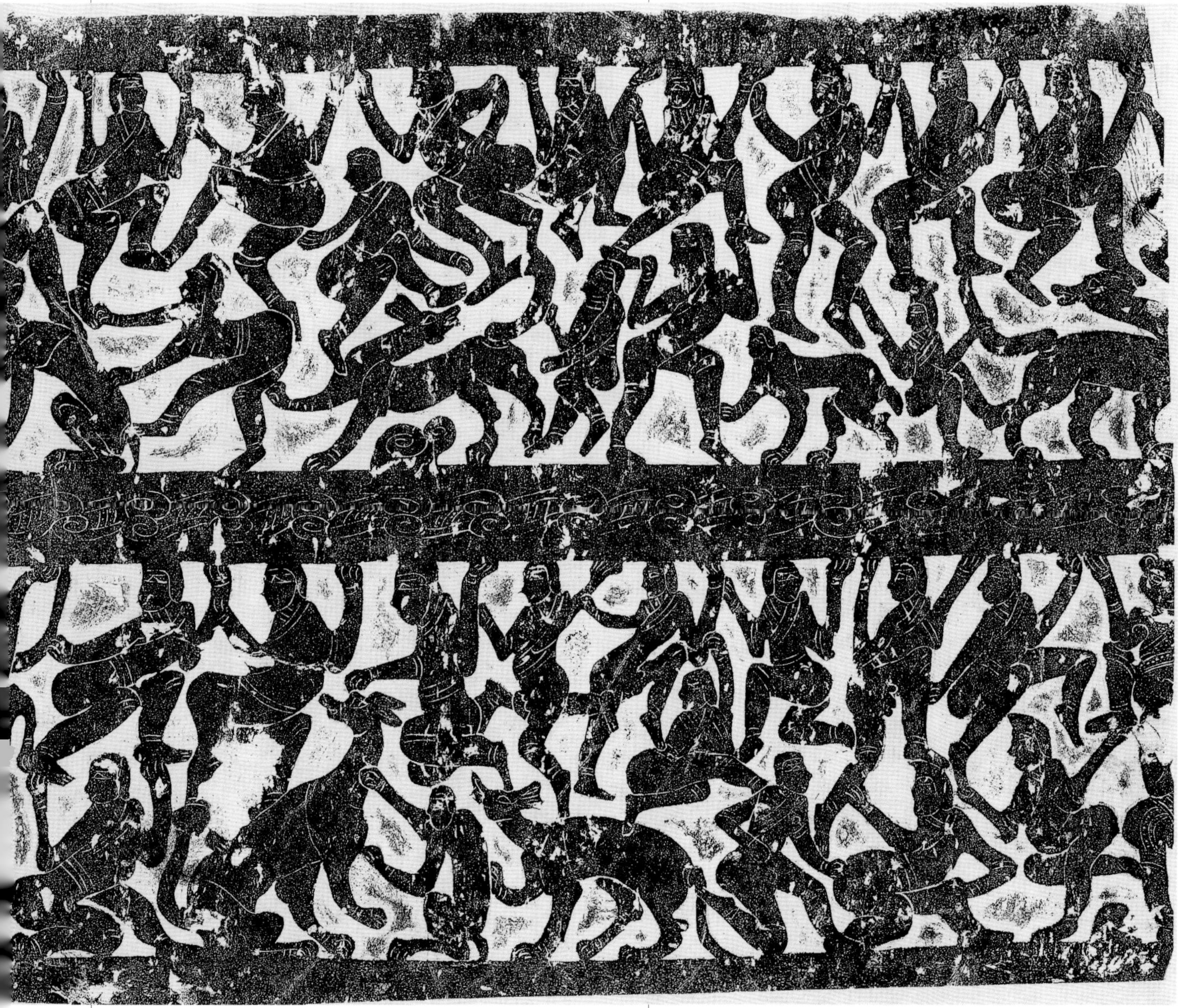

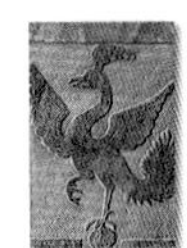

戰争 樓閣 狩獵畫像石

東漢

山東平陰縣實驗中學出土。

高104、寬205厘米。

畫面左、上、右三面邊框内飾菱格紋和穿璧紋。框内畫面分兩層。上層上部爲車騎出行場面，下部爲胡漢戰争場面；下層有樓閣、人物、异獸及漁獵場面。

現藏山東省平陰縣博物館。

車騎出行畫像石

東漢

山東烟臺市福山區東留公出土。

高49、寬198厘米。

畫面爲車騎出行，前面是一導騎，後隨一輛四維軺車、一輛輜車和一輛輂車。

現藏山東省博物館。

雙鹿畫像石

東漢
山東烟臺市福山區東留公出土。
高47、寬212厘米。
畫面爲雙鹿對卧，鹿頭中間陰綫刻一龍。
現藏山東省博物館。

鳳鳥 羽人 宴樂畫像石

東漢
山東沂水縣韓家曲村出土。
高82、寬183厘米。
畫面分爲三層。第一層弧圈内有一雙頭拱形龍張口噴水，龍頭下兩位披髮人頂盆接水；第二層爲羽人和鳳鳥；第三層爲主人宴樂、拜謁場面。
現藏山東省沂水縣博物館。

狩獵出行彩繪畫像石

東漢

陝西神木縣大保當1號墓出土。

高39、寬205厘米。

畫面上欄爲狩獵圖，下欄爲車馬出行圖。

現藏陝西省考古研究院。

羽人 玉兔搗藥彩繪畫像石

東漢
陝西神木縣大保當4號墓出土。
高40、寬202厘米。
畫面分爲上下兩層。上層爲捲雲紋、羽人、三足烏、鹿和狐等，左右兩端刻日輪和月輪；下層爲祥禽瑞獸、搗藥玉兔等。
現藏陝西省考古研究院。

祥禽瑞獸 狩獵出行彩繪畫像石

東漢

陝西神木縣大保當5號墓出土。

高35.5、寬193.5厘米。

畫面分上下兩層。上層爲祥禽瑞獸圖，兩端刻日輪和月輪；下層爲狩獵出行圖。畫面中一些細節部分用墨彩和紅彩繪出。

現藏陝西省考古研究院。

墓主升仙　荆軻刺秦王彩繪畫像石

東漢
陝西神木縣大保當16號墓出土。
高37、寬168–178厘米。
畫面上欄爲墓主升仙圖，左側西王母端坐于雲氣中，旁有仙人和玉兔搗藥；右側墓主坐在仙車上，由仙鳥駕車、仙人騎龍爲先導正向西王母駛來。下欄爲荆軻刺秦王故事。
現藏陝西省考古研究院。

説唱舞蹈 車馬 白虎彩繪畫像石

東漢

陝西神木縣大保當1號墓出土。

高126、寬36厘米。

畫面分三大層。第一層又分爲左右兩欄，左欄爲捲雲紋，右欄分三小層，爲説唱和舞蹈場景；第二層爲車馬及行鶴圖；底層爲白虎。

現藏陝西省考古研究院。

樓閣 青龍彩繪畫像石

東漢

陝西神木縣大保當3號墓出土。

高107、寬25.5厘米。

畫面上層爲重檐廡殿式頂雙層樓閣，下層爲青龍及佩劍門吏。

現藏陝西省考古研究院。

樓閣 白虎彩繪畫像石

東漢

陝西神木縣大保當3號墓出土。

高104、寬28厘米。

畫面上層爲重檐廡殿式頂雙層樓閣，下層爲兩隻白虎及執笏門吏。

現藏陝西省考古研究院。

西王母 瑞獸彩繪畫像石

東漢

陝西神木縣大保當4號墓出土。

高110、寬35.5厘米。

畫面分左右兩欄。左欄下刻門吏，上刻九尾狐等神獸嬉戲于雲氣間；右欄上刻西王母、玉兔、羽人，下刻舞伎和立馬等畫像。

現藏陝西省考古研究院。

西王母 瑞獸彩繪畫像石

東漢

陝西神木縣大保當4號墓出土。

高109、寬36厘米。

畫面爲左右兩欄。左欄刻西王母、玉兔、羽人、舞伎和騎吏等；右欄下刻門吏，上刻九尾狐等神獸嬉戲于雲氣間。

現藏陝西省考古研究院。

西王母 人物 玄武彩繪畫像石

東漢

陝西神木縣大保當5號墓出土。

高121、寬31.5厘米。

畫面自上而下刻西王母、羽人、玉兔、三足烏、九尾狐、白虎、門吏、舞伎、二馬、人物和玄武等。

現藏陝西省考古研究院。

朱雀 鋪首銜環 獬豸彩繪畫像石

東漢

陝西神木縣大保當5號墓出土。

高113.5、寬48.5厘米。

畫面自上而下由含丹朱雀、鋪首銜環、青龍和角抵狀獬豸組成。

現藏陝西省考古研究院。

東王公 門吏彩繪畫像石

東漢

陝西神木縣大保當9號墓出土。

高126.5、寬30.5厘米。

畫面分左右兩欄。左欄上層刻東王公和神獸等圖像，下層爲執笏門吏；右欄刻雲氣紋。

現藏陝西省考古研究院。

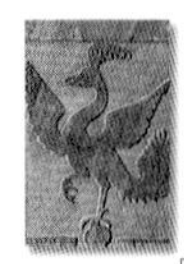

日神彩繪畫像石

東漢

陝西神木縣大保當11號墓出土。

高116、寬33.5厘米。

畫面内容分爲兩部分。上部是一廡殿式頂雙層樓閣，樓上對坐二人，樓閣周圍有仙人及鳳鳥。下部爲日神羲和。羲和人面、人身、鳥足，頭戴三羽冠，上穿紅色寬袖衣，下穿鳥羽裙，右手執矩，左手捧日輪。身旁及身下各刻一龍。

現藏陝西省考古研究院。

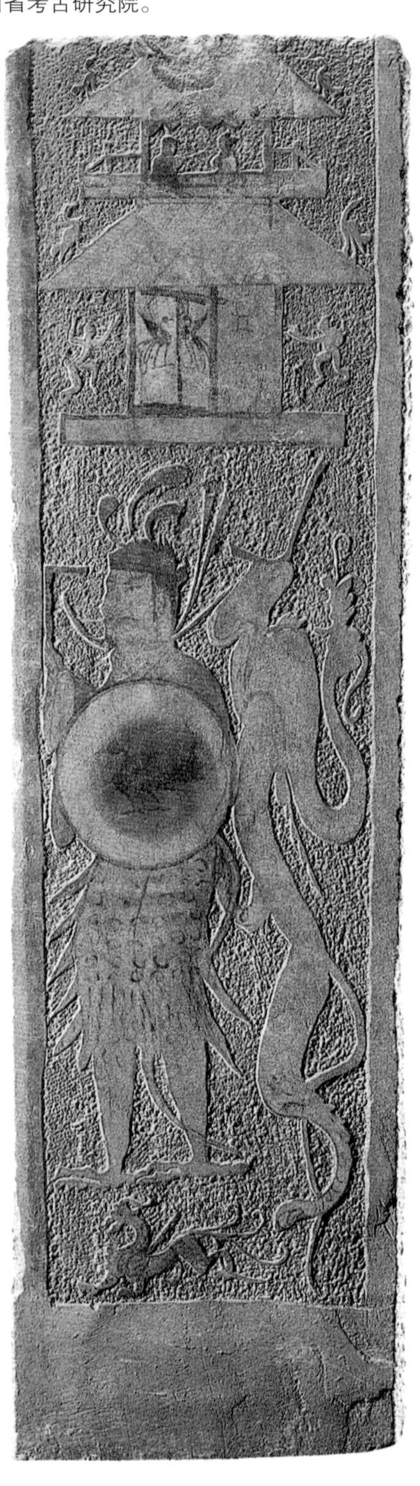

月神彩繪畫像石

東漢

陝西神木縣大保當11號墓出土。

高82、寬33厘米。

畫面内容分爲兩部分。上部殘缺，下部爲月神常羲。常羲人面、人身、鳥足，頭挽雙髻，右耳懸一小蛇，上穿寬袖衣，下穿鳥羽裙。左手執規，右手捧月。身旁及身下各刻一虎。

現藏陝西省考古研究院。

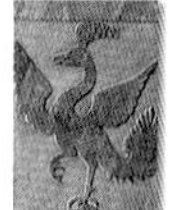

朱雀 鋪首銜環 白虎彩繪畫像石

東漢

陝西神木縣大保當16號墓出土。

高114.5、寬49.5厘米。

上部爲一朱雀，口含仙丹；中部爲鋪首銜環；下部爲一白虎。

現藏陝西省考古研究院。

朱雀 鋪首銜環 青龍彩繪畫像石

東漢

陝西神木縣大保當16號墓出土。

高114、寬49厘米。

上部爲一展翅欲飛的朱雀，口含仙丹；中部爲鋪首銜環；下部爲一青龍。

現藏陝西省考古研究院。

人物 瑞獸彩繪畫像石

東漢

陝西神木縣大保當16號墓出土。

高110、寬34厘米。

畫面分爲三欄。左上欄爲鳥、龍、獅和鹿等瑞獸，右上欄有四組人物及若干神獸，下欄爲玄武圖。

現藏陝西省考古研究院。

神鹿彩繪畫像石

東漢

陝西神木縣大保當18號墓出土。

高113、寬28厘米。

畫面表現三隻神鹿，或昂首肅立，或顧盼奔竄，其間飾以捲雲紋。

現藏陝西省考古研究院。

朱雀　鋪首銜環　白虎彩繪畫像石

東漢
陝西神木縣大保當18號墓出土。
高116、寬51厘米。
上部爲一展翅朱雀，中部爲鋪首銜環，下部爲一白虎。
現藏陝西省考古研究院。

朱雀　鋪首銜環　青龍彩繪畫像石

東漢
陝西神木縣大保當18號墓出土。
高115、寬51厘米。
上部爲一朱雀，中部爲鋪首銜環，下部爲一青龍。
現藏陝西省考古研究院。

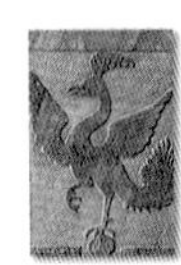

仙人 神獸彩繪畫像石

東漢

陝西神木縣大保當17號墓出土。

高33、寬170厘米。

畫面刻繪麒麟、飛鳥、羽人騎鹿、兔、犬、奔馬及仙人等，周邊刻綬帶穿璧紋。

現藏陝西省考古研究院。

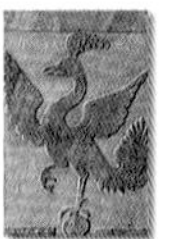

日月 仙禽神獸彩繪畫像石

東漢
陝西神木縣大保當18號墓出土。
高34.5、寬193厘米。
畫面中間爲一立熊，左右分刻牛首人身神獸及鷄首人身怪神，兩端高懸日輪和月輪，間飾飛鳥和捲雲紋。
現藏陝西省考古研究院。

神獸彩繪畫像石

東漢

陝西神木縣大保當18號墓出土。

高113、寬28厘米。

畫面自上而下分別爲盤羊、神鹿和鸛等禽獸，或奔跑、或静立于捲雲紋間。

現藏陝西省考古研究院。

朱雀 鋪首銜環 白虎彩繪畫像石

東漢

陝西神木縣大保當20號墓出土。

高113、寬49厘米。

上部爲展翅的朱雀；中部爲獸面鋪首銜環；下部爲白虎，兩旁有嘉禾。

現藏陝西省考古研究院。

樓闕 門吏彩繪畫像石

東漢

陝西神木縣大保當20號墓出土。

高112、寬34厘米。

畫面分爲上下兩層。上層左欄刻綬帶穿璧紋，右欄自上而下分別爲懸圃、單體重檐闕和執彗門吏圖；下層刻博山爐。

現藏陝西省考古研究院。

舞蹈人物 車馬彩繪畫像石

東漢

陝西神木縣大保當23號墓出土。

高113、寬40厘米。

畫面上欄爲説唱圖，中、下欄爲長袖舞蹈圖，底部爲車馬人物瑞獸圖。

現藏陝西省考古研究院。

狩獵 車馬出行彩繪畫像石

東漢

陝西神木縣大保當23號墓出土。

高40、寬197厘米。

上欄爲狩獵圖，下欄爲出行圖。

現藏陝西省考古研究院。

馴象 騎射彩繪畫像石

東漢

陝西神木縣大保當24號墓出土。

高36、寬190厘米。

畫面中部刻象奴執鋼鈎馴象，左爲天馬行空，右爲騎射。畫面左右端懸月輪和日輪，周圍飾雲氣紋。

現藏陝西省考古研究院。

朱雀 鋪首銜環 獬豸彩繪畫像石

東漢

陝西神木縣大保當23號墓出土。

高124、寬54.5厘米。

畫面上部刻朱雀，中部刻鋪首銜環，下部刻兩隻卧鹿及弓背角抵的獬豸。

現藏陝西省考古研究院。

西王母彩繪畫像石

東漢

陝西神木縣大保當24號墓出土。

高112、寬31厘米。

畫面上部爲捲雲紋；下部爲西王母盤坐于懸圃之上，兩側分刻玉兔、蟾蜍和飛鳥等。

現藏陝西省考古研究院。

翼虎 玉兔搗藥 牛車畫像石

東漢

陝西綏德縣王得元墓出土。

高141、寬29厘米。

畫面分爲五層。上層爲翼虎，二層爲玉兔搗藥及羽人，三層爲九尾狐和仙禽，四層爲樹下繫馬，五層爲牛車圖。

現藏中國國家博物館。

西王母 牛耕畫像石

東漢

陝西綏德縣王得元墓出土。

高135、寬29厘米。

畫面分爲四層。上層爲仙人博弈，二層爲翼龍，三層爲牛耕圖，四層爲排列有序的嘉禾圖。

現藏中國國家博物館。

樓閣 人物 車騎畫像石

東漢
陝西綏德縣王得元墓出土。
高36、寬249厘米。
畫面正中爲兩層閣樓，樓内有兩女子對坐。樓右爲車騎出行圖，樓左爲狩獵圖。
現藏中國國家博物館。

玉兔搗藥 瑞獸畫像石

東漢

陝西綏德縣王得元墓出土。

高36、寬186厘米。

畫面上層飾捲雲紋、羽人和异獸等，左右兩邊有日輪和月輪；下層爲玉兔搗藥、羽人獻靈芝及瑞獸。

現藏中國國家博物館。

孔子見老子畫像石

東漢
陝西綏德縣劉家溝出土。
高88、寬34厘米。
畫面分爲兩層。上層爲孔子見老子等圖像，下層爲雙人頭獸及玄武圖。
現藏陝西省西安碑林博物館。

鋪首畫像石

東漢
陝西綏德縣四十里鋪出土。
高101、寬50厘米。
畫面刻劃朱雀、鋪首銜環和青龍。
現藏陝西省綏德縣博物館。

宴樂畫像石

東漢

陝西綏德縣四十里鋪出土。

高97、寬30厘米。

畫面上層外欄刻穿璧紋和勾連雲紋，中欄刻對飲老者以及投壺、六博和長袖舞等七組人物；下層刻盤曲連理樹。

現藏陝西省綏德縣博物館。

人物對語 駿馬畫像石

東漢

陝西綏德縣四十里鋪出土。

高97、寬30厘米。

畫面上層左格爲五組兩人對坐，分别表現對語和荷節等，右格爲穿璧紋；下層爲一駿馬。

現藏陝西省綏德縣博物館。

拜謁　西王母畫像石

東漢

陝西綏德縣四十里鋪出土。

高30、寬159厘米。

畫面左部爲拜謁圖，右部爲西王母畫像。

現藏陝西省綏德縣博物館。

墓門畫像石

東漢

陝西綏德縣延家岔村出土。

高166、寬320厘米。

這是一組墓門畫像，横額及門柱外側畫像爲捲雲紋，其間飾烏鴉、山鷄、孔雀及鹿、羊、狐和猴子等禽獸，或飛或走。兩門柱中部爲綬帶穿璧，璧之間填捲雲紋，門柱内側爲勾連雲紋。

現藏陝西省綏德縣博物館。

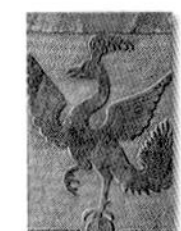

神羊畫像石

東漢

陝西綏德縣延家岔村出土。

高119、寬93厘米。

畫面中刻一雲角神羊，周圍滿飾雲氣紋和仙禽神獸。

現藏陝西省綏德縣博物館。

庭院畫像石

東漢

陝西綏德縣延家岔村出土。

高132、寬52厘米。

庭院内鷄狗成群，侍者恭候；莊園外車馬迎送，阡陌良田，執鐮的農夫正在收割。

現藏陝西省綏德縣博物館。

青龍 朱雀畫像石

東漢

陝西綏德縣賀家溝出土。

高113、寬43厘米。

畫面上方爲一朱雀，下刻一鋪首銜環；左側爲一青龍。

現藏陝西省西安碑林博物館。

人物 瑞獸畫像石（上圖）

東漢

陝西綏德縣五里店出土。

高116、寬127厘米。

畫面左下角爲一擁彗者，頭戴平頂冠，上身前傾站立。

天空中飾流雲及各種飛禽走獸。

現藏陝西省西安碑林博物館。

朱雀 飛鳥畫像石（上圖）

東漢
陝西綏德縣五里店出土。
高114、寬132厘米。
畫面右下角爲一展翅欲飛的朱雀，上端有三隻仙鳥立于雲頭，其間遍飾捲雲紋。
現藏陝西省西安碑林博物館。

放牧畫像石

東漢
陝西綏德縣出土。
高33、寬186厘米。
畫面上有麋鹿、牛、羊、駿馬、鳳鳥、樹木等，兩端有盛裝打扮的鞍馬和飼養人。
現藏陝西省綏德縣博物館。

異獸畫像石
東漢
陝西綏德縣出土。
高44、寬163厘米。
畫面中部有鳳鳥和羽人騎鹿等圖像。
現藏陝西省綏德縣博物館。

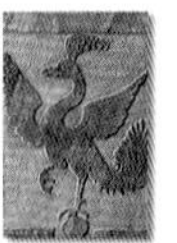

羽人 瑞獸畫像石

東漢

陝西綏德縣出土。

高50、寬126厘米。

畫面中央爲一羊，兩邊有羽人騎鹿、奔馬和鸛魚等，兩端有日輪和月輪，間飾流雲紋。

現藏陝西省綏德縣博物館。

幾何紋畫像石

東漢

陝西綏德縣出土。

高43、寬176厘米。

畫面由窗櫺紋、菱形紋和鋸齒斜紋組成。兩端有鸛魚圖。

現藏陝西省綏德縣博物館。

异獸 狩獵 出行畫像石

東漢

陝西綏德縣出土。

高38、寬165厘米。

畫面分爲兩層。上層飾捲雲紋中穿插神怪异獸，左端一小孩騎龍，右端一羽人左手上舉，右手持仙草喂馬；下層左邊爲二人狩獵，其後爲車騎出行和迎候等場面。

現藏陝西省綏德縣博物館。

神仙 玄武畫像石

東漢

陝西綏德縣出土。

高132、寬35厘米。

畫面分爲五層。第一層爲伏羲、女媧和仙草，第二層爲一虎，第三層爲應龍，第四層爲玄武，第五層爲執彗門吏和捲雲邊飾。

現藏陝西省綏德縣博物館。

謁見 玄武畫像石

東漢

陝西綏德縣出土。

高113、寬36厘米。

畫面分爲五層。第一層爲人物謁見，第二層爲奔馬，第三層爲翼龍，第四層爲玄武，第五層爲執彗門吏和捲雲邊飾。

現藏陝西省綏德縣博物館。

神人 門吏 玄武畫像石

東漢

陝西綏德縣出土。

高119、寬39厘米。

上層爲一人身蛇尾者，一手持仙草，一手持嘉禾；其下一持戟門吏。下層爲玄武。

現藏陝西省綏德縣博物館。

神人 門吏 玄武畫像石

東漢

陝西綏德縣出土。

高119、寬39厘米。

上層一人身蛇尾者，一手持便面，一手持鼗鼓；其下一執彗門吏。下層爲玄武。

現藏陝西省綏德縣博物館。

車騎出行 樂舞百戲 狩獵畫像石

東漢

陝西米脂縣官莊出土。

高143、寬251厘米。

畫面分爲七層。一層爲勾連捲雲紋，二層爲穿璧紋，三、四層爲一組車騎出行迎候圖，五層爲樓闕、人物和樂舞百戲圖，六層爲勾連捲雲紋，七層爲狩獵圖。現藏陝西省米脂縣博物館。

朱雀 鋪首銜環畫像石

東漢

陝西米脂縣官莊出土。

高113、寬50厘米。

這是一件門扉畫像石，上部爲一展翅的朱雀，中部爲鋪首銜環，下部爲獬豸。

現藏陝西省米脂縣博物館。

樓閣 執彗人物 玄武畫像石

東漢

陝西米脂縣官莊出土。

高120、寬36厘米。

畫面中一執彗人物立于樓閣外，背後爲捲草紋，下部爲玄武。

現藏陝西省米脂縣博物館。

朱雀 鋪首 犀牛畫像石

東漢

陝西米脂縣官莊出土。

這是一組完整的墓門畫像。兩門扉自上至下分别刻朱雀、鋪首銜環和獬豸；門額及門柱外欄刻日神托日輪和月神托月輪，周圍刻捲雲紋和仙禽神獸，内欄刻射獵、侍者和青龍、白虎；門栓下層分刻牛車和軺車。

現藏陝西省西安碑林博物館。

朱雀 鋪首銜環畫像石

東漢
陝西米脂縣尚莊出土。
高190、寬150厘米。
畫面由三角紋、菱紋和“S”紋構成門楣及門立柱形象，門扉上爲展翅欲飛的朱雀及鋪首銜環圖。
現藏陝西省米脂縣博物館。

西王母畫像石

東漢

陝西米脂縣徵集。

高106、寬52厘米。

畫面爲西王母高踞于神山之上，與玉兔分居傘柄右、左，傘立于仙山神樹之上。神山中有禽獸。神山下爲博山爐，爐頂立一朱雀，周圍遍飾捲雲紋。

現藏陝西省米脂縣博物館。

東王公畫像石

東漢

陝西米脂縣党家溝出土。

高116、寬34厘米。

畫面上部爲托在仙山神樹上的牛首東王公。仙山神樹上盤踞着龍。仙山神樹下有四層望樓，望樓左側站立門吏。畫面下端爲博山爐和仙草。

現藏陝西省米脂縣博物館。

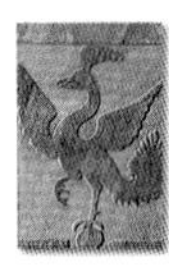

人物升仙 騎射畫像石

東漢

陝西米脂縣党家溝出土。

高42、寬176厘米。

畫面左、上、右三邊欄内飾捲雲紋、飛禽走獸和羽人。中部爲一樓閣，樓内男、女主人端坐，背生雙翼，似已羽化成仙，樓外有九尾狐、玉兔、金烏、蟾蜍、走獸及騎射人物。

現藏陝西省米脂縣博物館。

流雲 羽人 瑞獸畫像石

東漢

陝西米脂縣出土。

高46、寬183厘米。

畫面左欄爲日輪，輪内有金烏；右欄爲月輪，月内有蟾蜍；中欄爲龍、虎、奔鹿、九尾狐、玉兔搗藥、神鳥及羽人。三欄均以流雲紋作背景。

現藏陝西省米脂縣博物館。

蔓草 神鹿畫像石

東漢

陝西米脂縣徵集。

高105、寬90厘米。

兩邊欄内飾捲雲紋，中欄立一隻高大健壯的鹿，周圍飾捲雲紋、蔓草紋、羽人和飛鳥走獸等。

現藏陝西省米脂縣博物館。

蔓草 神羊畫像石

東漢

陝西米脂縣徵集。

高125、寬91厘米。

左右兩欄飾捲雲紋；中欄立一腰圓體壯之羊，羊背有一朱雀，周圍飾捲雲紋、蔓草紋、仙鳥和九尾狐。

現藏陝西省米脂縣博物館。

穿壁 人物畫像石

東漢

陝西子洲縣淮寧灣出土。

高98、寬31厘米。

畫面上層右邊框爲穿壁紋和勾捲紋，左邊刻五組人物，分別爲周公輔成王、執戟侍衛、雙人握劍、雙人撫琴和長袖舞圖；下層一鳥立于連理樹間，樹下有一獬豸。

現藏陝西省子洲縣文物管理所。

西王母畫像石

東漢

陝西清澗縣賀家溝出土。

高121、寬52厘米。

畫面左格爲捲草紋圖案，右格爲捲雲紋。中格分三層，上層爲西王母，中層爲昆侖山，山上有羽人、鹿及仙草，下層有一虎呼嘯飛奔。

現藏陝西省清澗縣文物管理所。

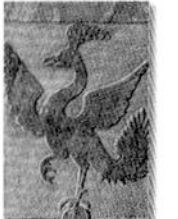

西王母 門吏畫像石

東漢

山西呂梁市離石區石盤村出土。

高129、寬31、厚12厘米。

西王母跽坐在昆侖山上，下層爲執彗門吏。

現藏山西省離石文物管理所。

東王公 門吏畫像石

東漢

山西呂梁市離石區石盤村出土。

高129、寬31、厚12厘米。

東王公跽坐在束腰仙山上，下層爲持盾門吏。

現藏山西省離石文物管理所。

朱雀　鋪首銜環畫像石

東漢

山西呂梁市離石區石盤村出土。

高124、寬48厘米。

邊框外裝飾捲雲紋，邊框内上爲朱雀，下爲鋪首銜環。

現藏山西省離石文物管理所。

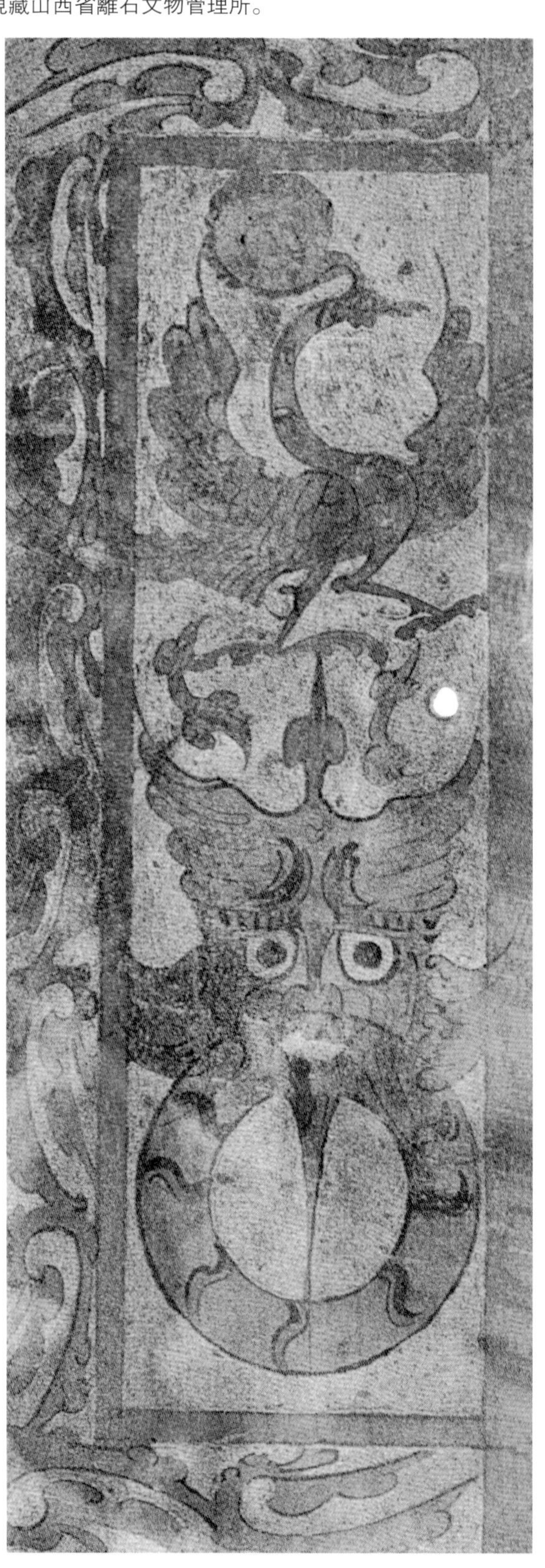

朱雀　鋪首銜環畫像石

東漢

山西呂梁市離石區石盤村出土。

高124、寬52厘米。

畫面上爲展翅朱雀，下爲鋪首銜環。

現藏山西省離石文物管理所。

西王母 樓閣畫像石

東漢
山西吕梁市離石區石盤村出土。
高130、寬48厘米。
畫面分爲上下兩層，上層刻西王母，下層刻望樓。
現藏山西省離石文物管理所。

紋樣 動物畫像石

東漢
山西吕梁市離石區石盤村出土。
高130、寬88厘米。
畫面爲綬帶穿璧窗户紋，窗下刻雙馬。
現藏山西省離石文物管理所。

仙人 雲車畫像石

東漢

山西吕梁市離石區馬茂莊出土。

高140、寬86厘米。

畫面左右兩欄爲雲氣紋。中欄上部有蒼龍護衛的天柱懸圃，一名神女正在摘實，頂有華蓋，兩旁有嘉木和方案，天柱山側有羽人、三青鳥、蟾蜍和白虎；下部地面有峰巒叠嶂，空中有雲車飛騰，雲車之下有乘龍騎馬的從者。

現藏山西省考古研究所。

應龍 仙人畫像石

東漢

山西吕梁市離石區馬茂莊出土。

高130、寬88厘米。

畫面左右兩欄爲雲氣紋。中欄由一條“S”形雲氣自下而上貫穿畫面，雲氣上部有一條應龍，中部有跽坐懸圃之上的西王母與東王公，周圍有羽人、神鳥和天馬等。現藏山西省考古研究所。

升仙畫像石

東漢

山西吕梁市離石區馬茂莊出土。

高120、寬52厘米。

畫面右欄較窄，飾雲氣紋；左欄較寬，上部刻墓主升仙圖，下部刻一鷄首人身持戟的神人。

現藏山西省考古研究所。

升仙畫像石

東漢

山西吕梁市離石區馬茂莊出土。

高120、寬53厘米。

畫面左欄較窄，飾雲氣紋；右欄較寬，上部刻墓主升仙圖，下部刻一牛首人身持笏的神人。

現藏山西省考古研究所。

虎車畫像石

東漢

山西呂梁市離石區馬茂莊圩埸梁出土。

高109、寬85厘米。

畫面左右分三欄，左右欄及中欄上層爲蔓草狀勾連雲氣紋。中欄下層上部爲四虎駕華蓋雲車飛行，中部爲二羽人騎天馬和騎虎護衛，下部左爲蟾蜍，右爲頭戴帽飾人首龜身蛇尾的羲和。

現藏山西博物院。

輜車畫像石

東漢

山西吕梁市離石區馬茂莊左元异墓出土。

高103、寬92厘米。

畫面中間欄内上部爲一牛立食；中部一牛駕輜車，其下有武裝騎衛和徒步者四人；下部爲一虎二龍。

現藏山西博物院。

羽人 騎士畫像石

東漢

山西柳林縣楊家坪村出土。

高31、寬179厘米。

畫面分爲兩層。上層爲勾連雲氣紋，下層爲羽人、騎士和异獸圖像。

現藏山西博物院。

异獸畫像石

東漢

江蘇沛縣棲山出土。

高80、寬80厘米。

畫面中刻一狀如狸猫的异獸，雙目圓瞪，長耳，尾彎曲上翹。框外有菱形邊飾。

現藏江蘇省徐州漢畫像石藝術館。

鳳鳥 長青樹畫像石

東漢

江蘇沛縣棲山出土。

高80、寬80厘米。

中間方框分三欄：左右兩欄各刻一樹和一鳳鳥。

現藏江蘇省徐州漢畫像石藝術館。

西王母　弋射　建鼓畫像石

東漢
江蘇沛縣栖山出土。
高80、寬275厘米。
畫面左側一樓閣，樓上西王母憑几端坐，樓外有兩神人搗藥，上有三足烏和九尾狐，下刻人首蛇身、馬首人身、鳥首人身及一持劍老者；中部刻一樹，樹上栖鳥，樹下有張弓者與觀者；右側爲建鼓舞及比武人物。
現藏江蘇省徐州漢畫像石藝術館。

羽人　麒麟畫像石

東漢
江蘇徐州市賈汪區徵集。
高46、寬160厘米。
畫面中部爲羽人，手執食物，逗引一對麒麟，兩旁另有八隻行龍。
現藏江蘇省徐州漢畫像石藝術館。

西王母 庖厨 車騎出行畫像石

東漢

江蘇徐州市賈汪區青山泉鄉白集出土。

高157、寬122厘米。

畫面分爲七層。上層爲西王母，周圍有玉兔搗藥和仙人靈獸；二層爲十一個人物觀看三人表演；三層爲十隻瑞鳥穿梭于嘉禾間；四層爲飛龍戲珠；五層爲庖厨宴賓場面；六層爲謁見人物；七層爲車騎出行場面。

人物建築 泗水撈鼎畫像石

東漢

江蘇徐州市大廟鎮晋漢畫像石墓出土。

高116、寬65厘米。

畫面分爲三層。上層爲西王母圖；中層中央爲一四阿頂廳堂，有斗栱，上部爲兩層樓閣，有樓梯通地，衆人物作拜謁狀；下層畫面爲泗水撈鼎歷史故事。

神農畫像石

東漢

江蘇銅山縣苗山出土。

高105、寬54厘米。

畫面左上角刻神農，頭戴斗笠，身披蓑衣，左手牽鳳，右手持耒耜，表現神農創始農業及遍嘗百草醫治病人的形象。畫面下部爲神牛銜草圖。

現藏江蘇省徐州漢畫像石藝術館。

神人畫像石

東漢

江蘇銅山縣苗山出土。

高105、寬64厘米。

畫面上部左側爲日輪，右側爲吹螺鼓風的風伯；中部刻一奔馬；下部爲一大象。

現藏江蘇省徐州漢畫像石藝術館。

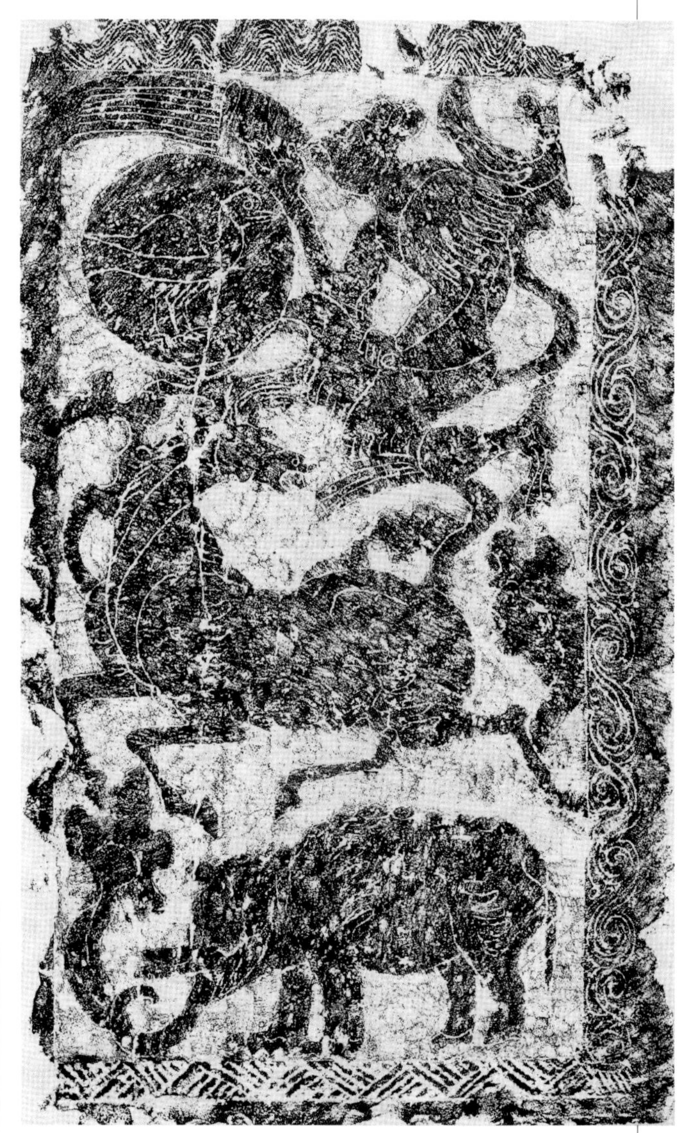

觀武畫像石

東漢

江蘇銅山縣韓樓出土。

高123、寬59厘米。

畫面分爲四層。上層爲一人邀三人觀武，二層爲四人前行，三層爲二人比武，四層爲揖别人物。

現藏江蘇省徐州博物館。

仙禽神獸畫像石

東漢

江蘇銅山縣利國鄉出土。

高93、寬26厘米。

畫面上刻三隻蜷曲的虺龍，下部刻三隻鳳鳥，間飾飛鳥和鳥頭。

現藏江蘇省徐州漢畫像石藝術館。

建築 輦車畫像石

東漢

江蘇銅山縣利國鄉出土。

高92、寬96厘米。

畫面分爲兩層。上層爲樓闕人物，下層爲輦車婦女。

現藏江蘇省徐州漢畫像石藝術館。

建鼓 繩技畫像石

東漢

江蘇銅山縣利國鄉出土。

高100、寬72厘米。

畫面中部刻一建鼓，方形鼓座，建鼓兩側二人持桴擊鼓，幢上兩側伎人表演緣繩翻身之戲。

現藏江蘇省徐州漢畫像石藝術館。

天神畫像石

東漢

江蘇銅山縣洪樓村出土。

高67–41、寬225厘米。

畫面有七名守衛天門的天神，個個怒目凝神，體態威猛。

現藏江蘇省徐州漢畫像石藝術館。

拜謁 樂舞百戲 紡織畫像石

東漢

江蘇銅山縣洪樓村出土。

高99、寬216厘米。

畫面上層爲拜謁場面；下層左部爲紡織圖，右部爲樂舞百戲。

現藏中國國家博物館。

迎賓 宴飲畫像石

東漢

江蘇銅山縣洪樓村出土。

高100、寬210 厘米。

畫面上層爲宴飲圖，下層爲迎賓圖。

現藏江蘇省徐州漢畫像石藝術館。

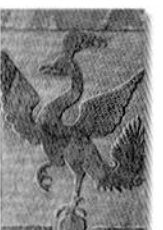

宴飲畫像石

東漢

江蘇銅山縣漢王鄉東沿村出土。

高74、寬94厘米。

畫面正中刻一房舍，上立鳳鳥，角脊伏二猿。屋内兩人對飲，身後立兩侍者。屋外兩株連理樹。

現藏江蘇省徐州漢畫像石藝術館。

庖厨 車騎畫像石

東漢

江蘇銅山縣漢王鄉東沿村出土。

高75、寬65厘米。

畫面第一、二層表現庖厨場景，第三層表現車騎迎駕場面。

現藏江蘇省徐州漢畫像石藝術館。

建鼓　庖厨畫像石

東漢

江蘇銅山縣漢王鄉東沿村出土。

高77、寬71厘米。

畫面第一層爲七人跽坐，第二層爲建鼓舞，第三層爲庖厨圖。

現藏江蘇省徐州漢畫像石藝術館。

樂武君畫像石

東漢

江蘇銅山縣漢王鄉東沿村出土。

高75、寬78厘米。

畫面分爲四層。上層中部爲男女主人交談，兩側爲侍從及怪獸；二層中間主人憑几而坐，榜題“樂武君”，左側兩人跪拜，一人站立，右側兩人伏地，一人站立擁彗；三層爲舞樂宴飲圖；四層爲六主六僕共十二人。

現藏江蘇省徐州漢畫像石藝術館。

六博畫像石

東漢

江蘇銅山縣臺上徵集。

高45、寬50厘米。

畫面刻兩人飲酒對博，右者肩上有雙翼。

現藏江蘇省徐州漢畫像石藝術館。

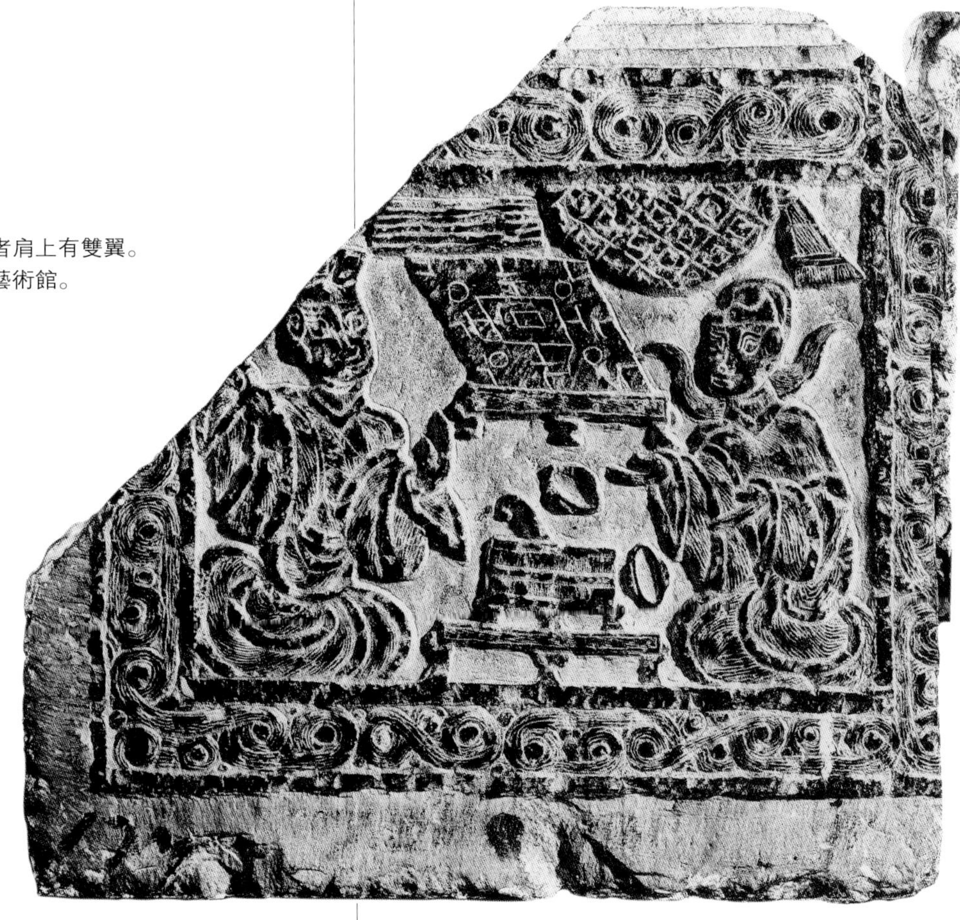

樓閣 六博 雜技畫像石

東漢

江蘇銅山縣出土。

高87、寬132厘米。

畫面中心爲一樓閣，樓閣上兩人作六博游戲，樓梯上有僕人侍候；樓下左部爲雜技表演，其中一人作騰空倒翻，右部爲建鼓舞；樓閣頂上飾有珍禽异獸。

現藏江蘇省北洞山漢墓陳列館。

交龍 車騎者 建築 人物畫像石

東漢

江蘇銅山縣茅莊徵集。

高120、寬70厘米。

畫面分爲三層。上層爲二龍和二鳥；中層爲一大鳥和二騎吏；下層爲一廳堂，内有二人站立交談，室外右側有侍者。

現藏江蘇省徐州漢畫像石藝術館。

軺車畫像石

東漢

江蘇銅山縣大泉徵集。

高92、寬60厘米。

畫面分上下兩層。上層刻十字穿璧圖，下層刻一軺車。

現藏江蘇省徐州漢畫像石藝術館。

二龍穿璧畫像石

東漢

江蘇銅山縣徵集。

高118、寬44厘米。

畫面中刻竪式二龍穿璧，龍首相接，龍尾相交。

現藏江蘇省徐州漢畫像石藝術館。

青龍 鳳鳥畫像石

東漢

江蘇銅山縣徵集。

高103、寬106厘米。

畫面主題是兩隻鳳鳥，一隻展翅欲飛，一隻轉項與之相對。畫面左側刻一人首蛇軀者，下方刻一青龍。

現藏江蘇省徐州漢畫像石藝術館。

祥禽 瑞獸畫像石

東漢

江蘇銅山縣徵集。

高60、寬250厘米。

畫面正中刻一對鳥接喙相親，左右一對行龍回首轉望，左端刻一兩頭鳥，右端刻一麒麟。

現藏江蘇省徐州漢畫像石藝術館。

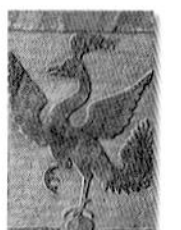

伏羲 女媧畫像石

東漢

江蘇睢寧縣雙溝徵集。

高90、寬28厘米。

畫面刻伏羲和女媧作交尾狀，左右下方各刻一小人，亦爲人首蛇軀形。

現藏江蘇省徐州漢畫像石藝術館。

鋪首銜環 鳳鳥畫像石

東漢

江蘇睢寧縣雙溝徵集。

高115、寬50厘米。

上刻鳳鳥，下刻鋪首銜環。

現藏江蘇省徐州漢畫像石藝術館。

羽人戲鹿 龍虎畫像石

東漢

江蘇睢寧縣張圩徵集。

高118、寬42厘米。

畫面上層刻一羽人戲鹿和朱雀圖案，下層刻交纏青龍和白虎。

現藏江蘇省睢寧縣博物館。

樓闕 人物畫像石

東漢

江蘇睢寧縣張圩徵集。

高118、寬72厘米。

上層刻四虬龍；下層刻樓閣雙闕，樓上兩人對坐，樓下三人飲酒，兩旁有高大的重檐門闕，闕間有鳳鳥交頸、猿猴攀援。

現藏江蘇省睢寧縣博物館。

侍者 貴婦畫像石

東漢
江蘇睢寧縣張圩徵集。
高115、寬62厘米。
畫面左側立一貴婦，身穿綉服，長裙曳地，足下刻青龍；右上方立一侍者，手中擁彗。
現藏江蘇省睢寧縣博物館。

龍 鳳 人物畫像石

東漢
江蘇睢寧縣張圩徵集。
高118、寬60厘米。
畫面上層刻戴勝的西王母和侍者，中層刻兩鳳鳥接喙，下層刻兩行龍漫舞，邊框飾連弧紋和鋸齒紋。
現藏江蘇省睢寧縣博物館。

仙人 鳳鳩 白虎畫像石

東漢

江蘇睢寧縣張圩徵集。

高115、寬60厘米。

畫面上層一女子持銅鏡坐于榻上，周圍有羽人、搗藥玉兔、蟾蜍和侍者；中層刻兩鳳鳥交頸；下層刻羽人、白虎和青龍。

現藏江蘇省睢寧縣博物館。

庖厨 宴飲畫像石

東漢

江蘇睢寧縣張圩徵集。

高110、寬74厘米。

畫面上層刻一廳堂，屋頂栖鳳鳥，堂内四人對坐，兩側有侍者；中層刻欄杆旁坐六人，欄間有侍者捧食而過；下層刻庖厨場面。

現藏江蘇省睢寧縣博物館。

人物 喂馬畫像石

東漢

江蘇睢寧縣張圩徵集。

高118、寬60厘米。

畫面上層刻一人坐于榻上，面前兩侍從，一人跪地謁拜；下層刻一連理樹，樹下一馬作進食狀。

現藏江蘇省睢寧縣博物館。

鳳鳥 樓闕 人物畫像石

東漢

江蘇睢寧縣徵集。

高120、寬97厘米。

畫面上層刻六隻鳳鳥；中層刻樓閣雙闕，閣内三人跽坐，兩旁爲一對重檐子母門闕，闕間三人憑欄而立；下層刻五人持幢節而立。

現藏江蘇省睢寧縣博物館。

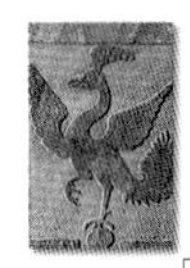

車馬 人物 龍鳳畫像石

東漢

江蘇睢寧縣墓山出土。

高116、寬210厘米。

畫面分爲三層。上層仙禽神獸；中層爲一座三層重閣，樓閣内有持幢官吏，樓閣外有建鼓舞、雜技表演等；下層爲車馬出行圖。

現藏江蘇省睢寧縣博物館。

車騎出行畫像石

東漢

江蘇睢寧縣墓山出土。

高100、寬191厘米。

畫面爲一組左行的車馬出行場面，車隊上方刻七夔龍，間飾雲紋，邊框刻菱形紋、鋸齒紋和連弧紋。

現藏江蘇省睢寧縣博物館。

鳳鳥 九尾狐 三足烏畫像石

東漢

江蘇睢寧縣雙溝徵集。

高118、寬45厘米。

畫面分爲三層。上層刻一鳳鳥，中層刻九尾狐，下層刻三足烏。

現藏江蘇省徐州漢畫像石藝術館。

橋梁畫像石

東漢
江蘇睢寧縣舊朱集出土。
高95、寬242厘米。
畫面刻兩坡式橋。橋身聳起，上豎橋表。橋上車水馬龍，橋下刻漁人捕魚。
現藏江蘇省徐州博物館。

神鼎畫像石

東漢
江蘇睢寧縣舊朱集出土。
高96、寬242厘米。
畫面上層刻神鼎、瑞獸、鳳鳥、玉兔、麒麟和九尾狐等，代表神界；下層刻輜車和導騎，表現人物出行。
現藏江蘇省徐州博物館。

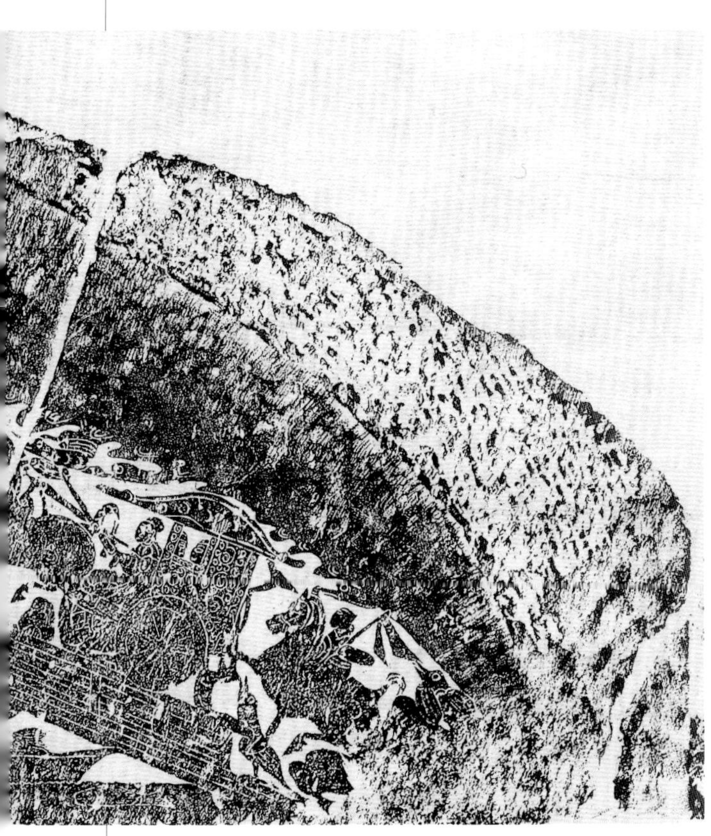

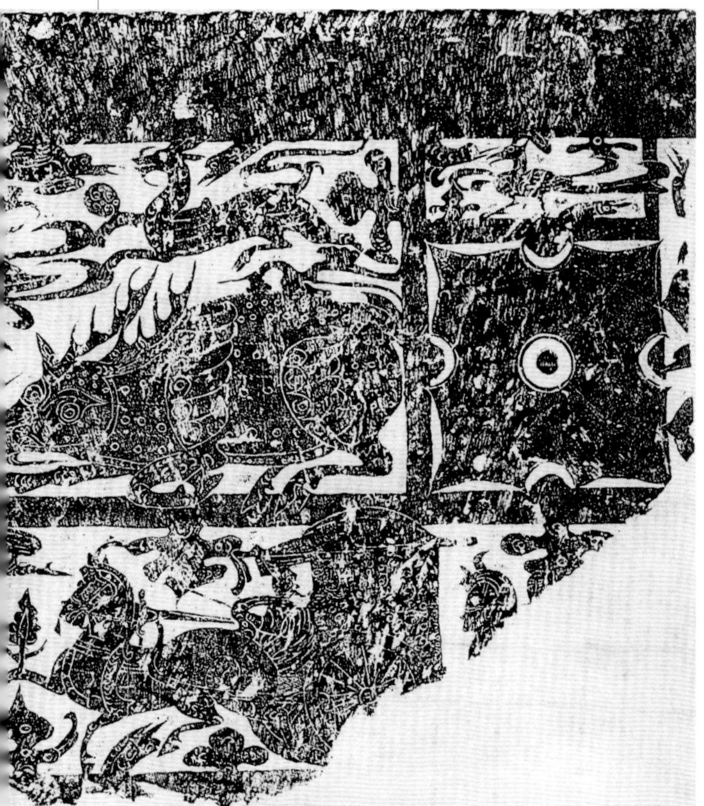

鳳鳥 鋪首銜環畫像石

東漢

江蘇睢寧縣舊朱集出土。

高147、寬56厘米。

畫面上層刻一鳳鳥，口銜瑞草；下層刻鋪首銜環，一旁立持彗門吏，間刻祥禽、瑞獸、仙草。

現藏江蘇省徐州漢畫像石藝術館。

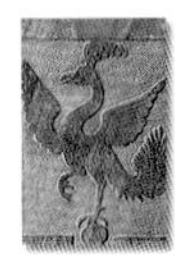

侍者獻食 仙人戲鳳畫像石

東漢

江蘇睢寧縣舊朱集出土。

高150、寬126厘米。

畫面分二層。上層刻羽人手持仙果，引逗鳳凰；下層左刻侍者雙手捧果盤作獻食狀，右刻一鋪首銜環，下面刻一青龍。

現藏江蘇省徐州漢畫像石藝術館。

青龍 雙闕畫像石

東漢

江蘇睢寧縣徵集。

高112、寬90厘米。

畫面分爲三層。上層刻兩隻虬龍追逐；中層刻一青龍，額生長角，肩生雙翼；下層刻一對門闕，闕身短粗，闕前刻捧盾亭長和擁彗門吏。

現藏江蘇省睢寧縣博物館。

龍鳳 建築 人物畫像石

東漢
江蘇睢寧縣郭山徵集。
高124、寬84厘米。
畫面分四層。第一層刻三隻仙禽；第二層刻兩隻虬龍；第三層刻一房屋，屋内二人對飲；第四層刻一匹馬，馬後爲一小吏。
現藏江蘇省睢寧縣博物館。

人物 瑞獸畫像石

東漢
江蘇邳州市燕子埠鎮尤村出土。
高78、寬43厘米。
畫面上兩層爲人物，或跽坐、或站立，皆着吏服；第三層爲兩瑞獸；第四層爲朱雀、玄武及怪獸。

鳳凰 虬龍畫像石

東漢
江蘇邳州市白山故子墓出土。
高75、寬133厘米。
畫面以一對鳳凰爲中心，四角圍繞四條虬龍。

六博畫像石

東漢
江蘇邳州市陸井墓出土。
高93、寬120厘米。
圖中刻一四阿式屋頂房屋，角脊上立一對鳳鳥。屋内榻上置博盤和箸枰，兩人對博正酣。屋前置一車，一童子戲牛。
現藏江蘇省徐州漢畫像石藝術館。

車騎 宴飲 雜技畫像石（上圖）

東漢

江蘇邳州市陸井墓出土。

高105、寬148厘米。

畫面上層中部爲一樓閣，樓上二女子對坐，樓下二人六博，樓左側爲庖厨圖，右側爲建鼓和雜技圖；下層爲車騎出行圖。

現藏江蘇省徐州漢畫像石藝術館。

犀兕 建築 人物畫像石

東漢

江蘇新沂市瓦窑出土。

高48、寬116厘米。

畫面左側爲一硬山頂式房屋，楹柱上置斗栱，屋内兩人對坐，另一人援梯而上。屋外刻一株大樹，樹下刻一犀兕。

現藏江蘇省徐州漢畫像石藝術館。

車騎畫像石

東漢

安徽宿州市褚蘭鎮金山孜出土。

高41、寬135厘米。

畫面中一輛軺車，車前一導騎，車後一從騎，另一人拱手送行。

現藏安徽省宿州市文物管理所。

伏羲　女媧　蓮花畫像石

東漢

安徽宿州市褚蘭鎮金山孜出土。

高55、寬100厘米。

圖中伏羲戴進賢冠，女媧梳髻簪飾，皆着廣袖花邊衣，圍繞一盛開的蓮花翩翩起舞。

現藏安徽省博物館。

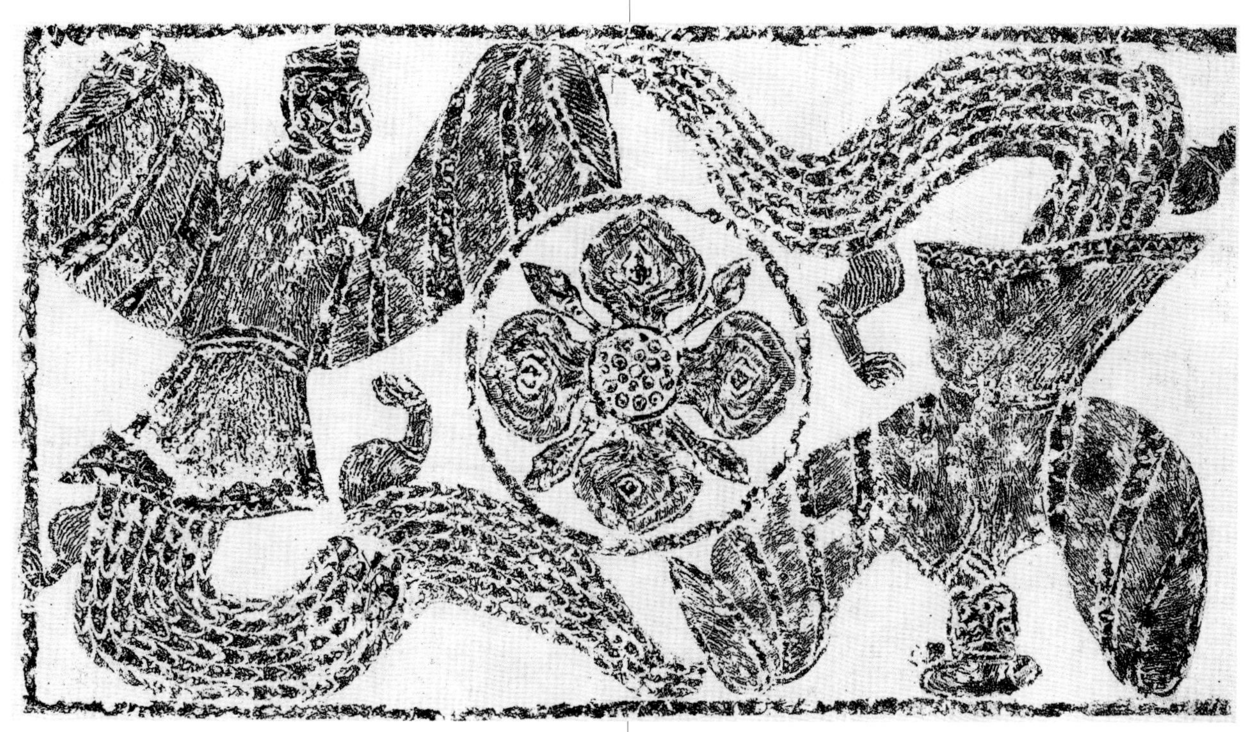

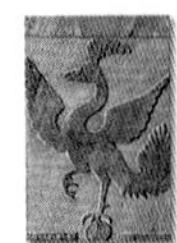

人物 龍虎畫像石

東漢

安徽宿州市褚蘭鎮金山孜出土。

高103、寬38厘米。

畫面上層刻三名女子促膝而談，中層刻兩名男子各執戟、笏側身恭立，下層刻一龍一虎對舞。

現藏安徽省博物館。

朱雀 門吏 瑞羊畫像石

東漢

安徽宿州市褚蘭鎮金山孜出土。

高105、寬39厘米。

畫面上層刻一朱雀，喙銜聯珠；中層刻一持棒門吏；下層刻一翼羊跪于樹下。

現藏安徽省博物館。

人物畫像石

東漢

安徽宿州市褚蘭鎮金山孜出土。

高108、寬70厘米。

畫面分爲四層。上層四人席地而坐，一人站立；第二層似表現送行場面；第三層五名男子促膝而談；第四層五名女子互致問候。

現藏安徽省博物館。

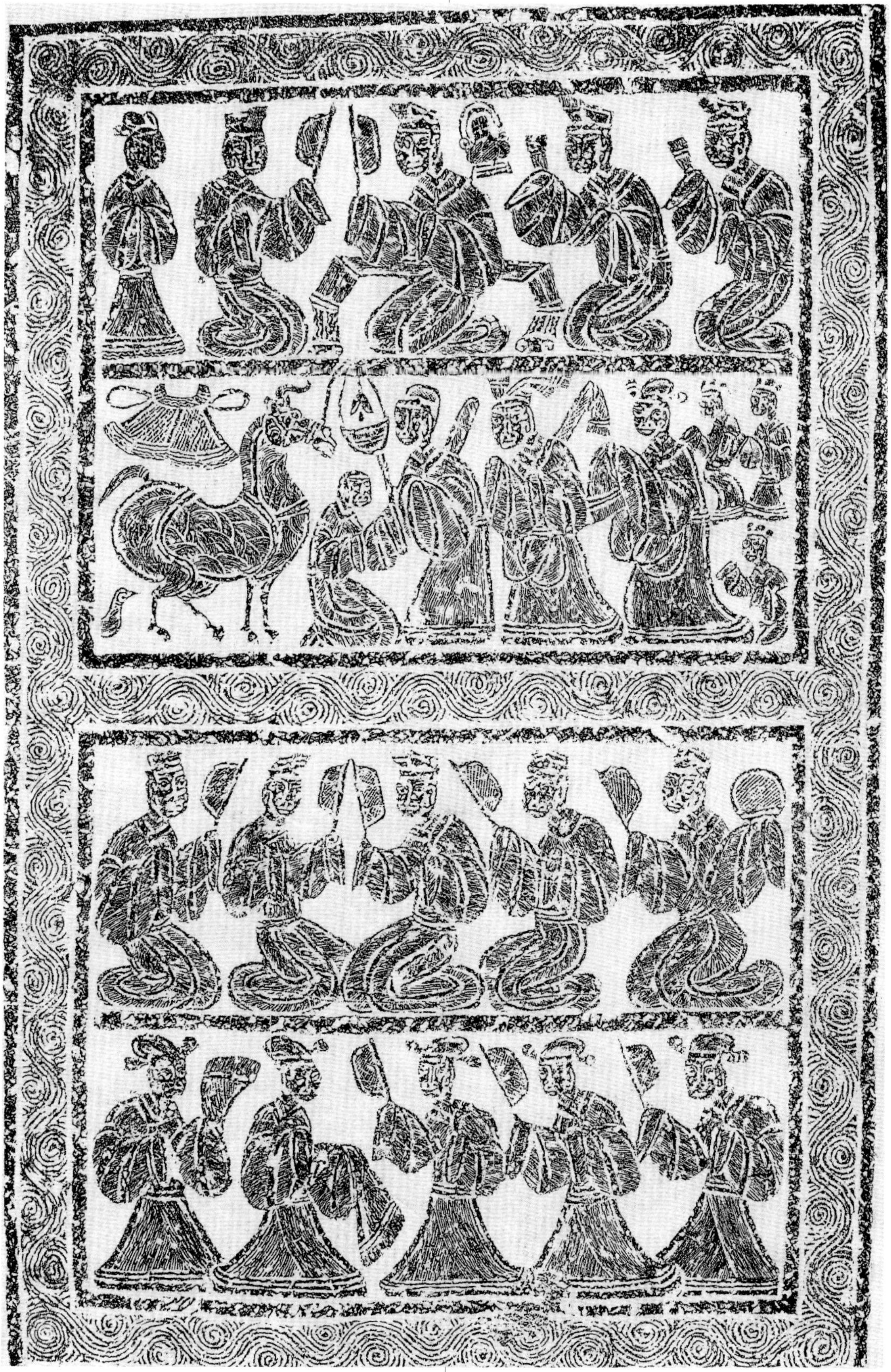

蓮花 魚畫像石

東漢

安徽宿州市褚蘭鎮金山孜出土。

高53、寬45厘米。

畫面中心爲一朵盛開的蓮花，四周有八條游魚環繞。

現藏安徽省博物館。

車騎出行畫像石

東漢

安徽宿州市褚蘭鎮金山孜出土。

高28厘米。

表現一列左向行駛的車騎人物。

現藏安徽省博物館。

交談畫像石（上圖）

東漢

安徽宿州市褚蘭鎮金山孜出土。

高52、寬44厘米。

畫像中央是一座廡殿式房屋，屋頂兩鳥相對，各銜一蛇。房内兩人對坐飲酒交談。房外站立僕人。

現藏安徽省博物館。

西土母 長袖舞 械鬥 捕魚畫像石

東漢

安徽宿州市褚蘭鎮寶光寺出土。

高98、寬92厘米。

畫面上層爲西王母居中端坐，兩旁有跪侍的仙人、龍、鳥及各種怪獸；二層爲衆女子作長袖舞；三層爲橋上車騎人物，車前二護衛與來犯者作搏殺械鬥狀，橋下爲捕魚場景。

現藏安徽省宿州市文物管理所。

聽琴畫像石

東漢
安徽宿州市符離集出土。
高108、寬98厘米。
上層刻一樓房，樓上二人對坐，樓下一女子撫琴，一女子聽琴，旁有婢女相陪；下層刻兩輛單駕軺車。
現藏安徽省博物館。

舞樂 車騎畫像石

東漢
安徽靈璧縣徵集。
高64、寬152厘米。
畫面上層表現一庭院内的舞樂場面，下層爲車騎出行圖。
現藏安徽省靈璧縣文物管理所。

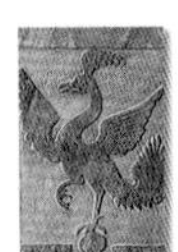

殯葬畫像石

東漢

安徽靈璧縣九頂鎮出土。

高121、寬45厘米。

畫面上層刻八隻翼獸；中層刻一老者端坐，兩旁有侍從；下層刻一輛牛車，車前一人引導，車後一女子扶車痛哭。

現藏安徽省靈璧縣文物管理所。

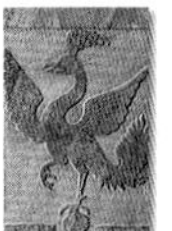

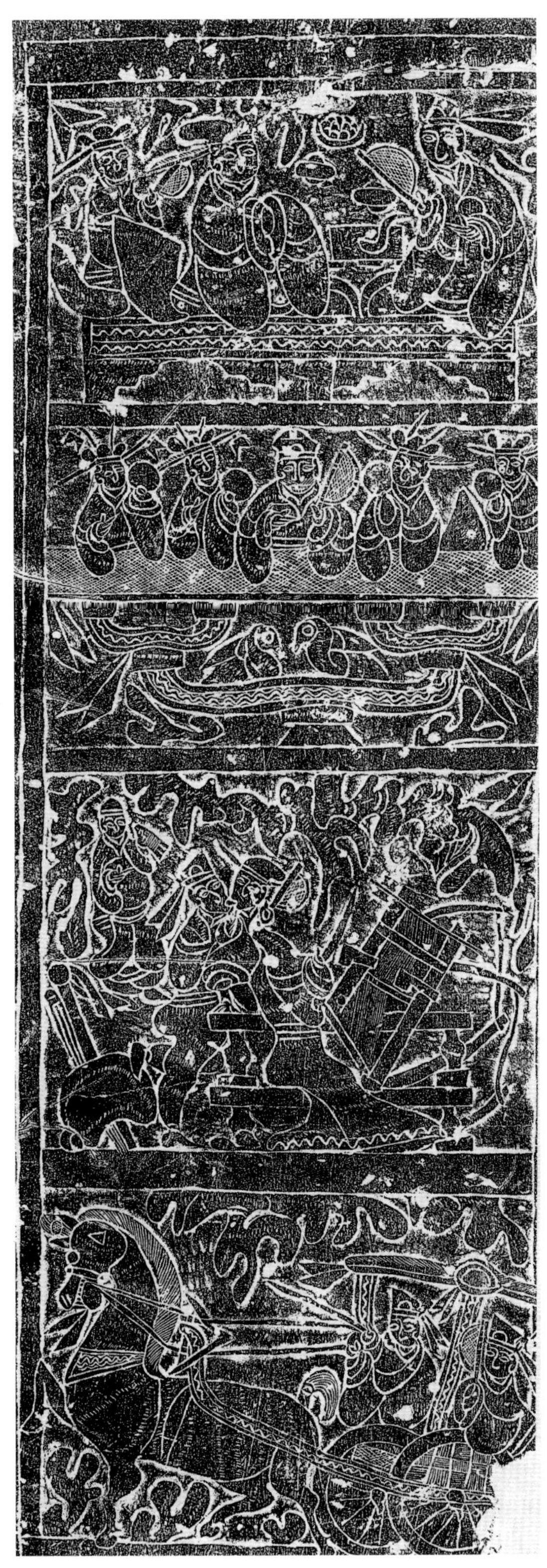

宴居 紡織畫像石

東漢

安徽靈璧縣九頂鎮出土。

高121、寬45厘米。

畫面一層爲用膳圖，二層爲憑欄觀賞圖，三層爲紡織圖，四層爲車馬和人物。

現藏安徽省靈璧縣文物管理所。

蹶張 翼虎畫像石

東漢

安徽淮北市電廠出土。

高125、寬35厘米。

畫面上部刻一蹶張，正奮力蹬弓引箭，下刻一翼虎。

現藏安徽省淮北市博物館。

墓門畫像石

東漢

安徽淮北市趙集出土。

各高130、寬64厘米。

左側墓門爲雙鳳拱璧、仙人戲虎和人物；右側墓門爲鋪首銜環、人物、仙人戲虎、馬和龍。

現藏安徽省濉溪縣文物保護管理所。

龍虎相鬥畫像石（上圖）

東漢

安徽淮北市北山鄉出土。

高22、寬105厘米。

畫面一龍一虎齜牙怒目相對，呈相鬥狀。

現藏安徽省淮北市北山中學。

天馬 軺車畫像石

東漢

安徽淮北市北山鄉出土。

高71、寬71厘米。

畫面上部爲兩匹有翼飛馬飛于雲中，前有奔鹿，後有羽人；下部爲一輛軺車，兩步卒扛戟前導。

現藏安徽省淮北市北山中學。

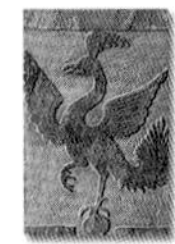

射鳥畫像石

東漢

安徽淮北市北山鄉出土。

高76、寬71厘米。

畫面左側爲一棵柏樹，樹下拴一犬，樹頭有飛鳥；右側一樹枝幹彎柔，樹枝栖鳳鳥，樹下拴一牛，一人引弓射鳥。

現藏安徽省淮北市北山中學。

翼龍畫像石

東漢

安徽淮北市礦務局中學出土。

高138、寬65厘米。

畫面竪刻一龍，遍體鱗片，獨角，長嘴翻吻。

現藏安徽省淮北市博物館。

翼虎畫像石

東漢

安徽淮北市礦務局中學出土。

高138、寬64厘米。

畫面竪刻一虎，有雙翼，環眼齜牙，凶猛可畏。

現藏安徽省淮北市博物館。

西王母 狩獵 車騎畫像石

東漢
安徽淮北市電廠出土。
高111、寬110厘米。
畫面上方爲懸圃，山巔之上端坐西王母；中部爲狩獵場面；下部爲車騎人物。
現藏安徽省淮北市博物館。

裸人畫像石

東漢

安徽淮北市時村塘峽子出土。

高27、寬29厘米。

畫面人物頭盤髻，右手撫膝，左手上揚。全身赤裸，肚子圓鼓。

現藏安徽省淮北市博物館。

二龍穿璧 异獸畫像石

東漢

安徽淮北市出土。

高38、寬176厘米。

畫面上層爲二龍穿五璧，左端一立熊，右端一跪熊；下層横列翼龍、翼虎和熊羆等七獸。

現藏安徽省淮北市博物館。

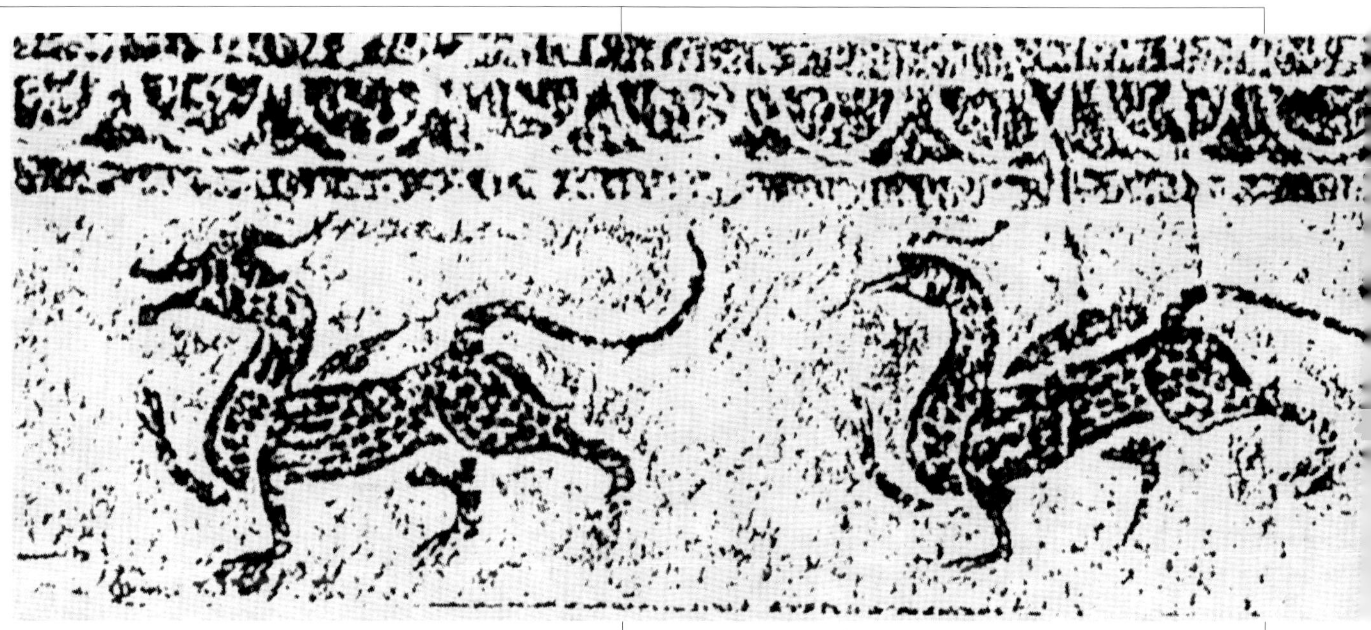

神獸畫像石（上圖）

東漢

安徽淮北市古城1號墓出土。

高48、寬210厘米。

畫面表現應龍、鳥首翼獸、人首翼獸等四神獸左行。

現藏安徽省淮北市博物館。

亭長 武士畫像石

東漢

安徽亳州市十九里鎮董園村出土。

高175、寬231厘米。

畫面左邊刻一亭長，捧盾恭立，右側刻一仗劍武士。

現藏安徽省亳州市博物館。

武士 亭長畫像石

東漢

安徽亳州市十九里鎮董園村出土。

高175、寬231厘米。

畫面左側刻一佩劍武士，右側刻一捧盾恭立的亭長。

現藏安徽省亳州市博物館。

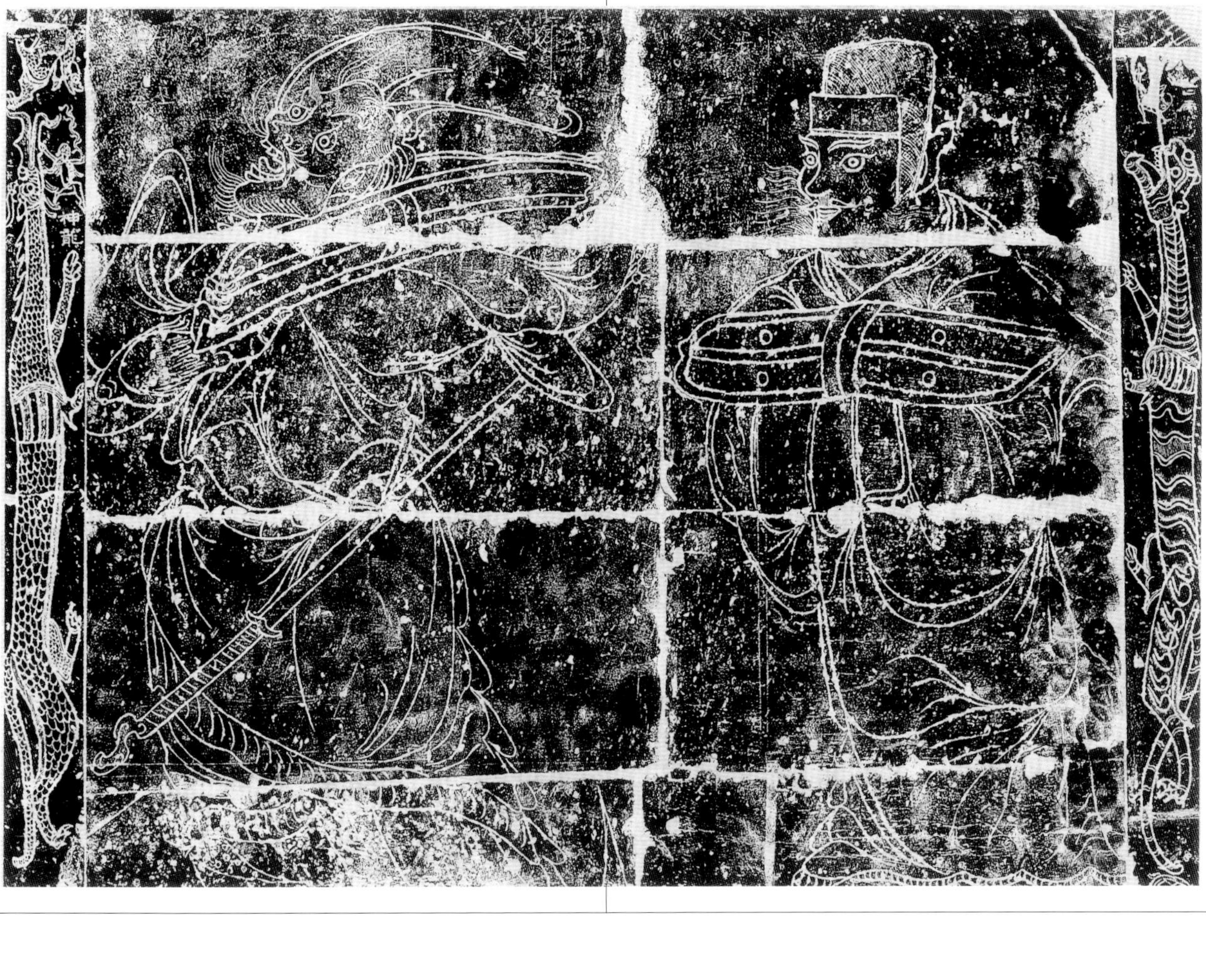

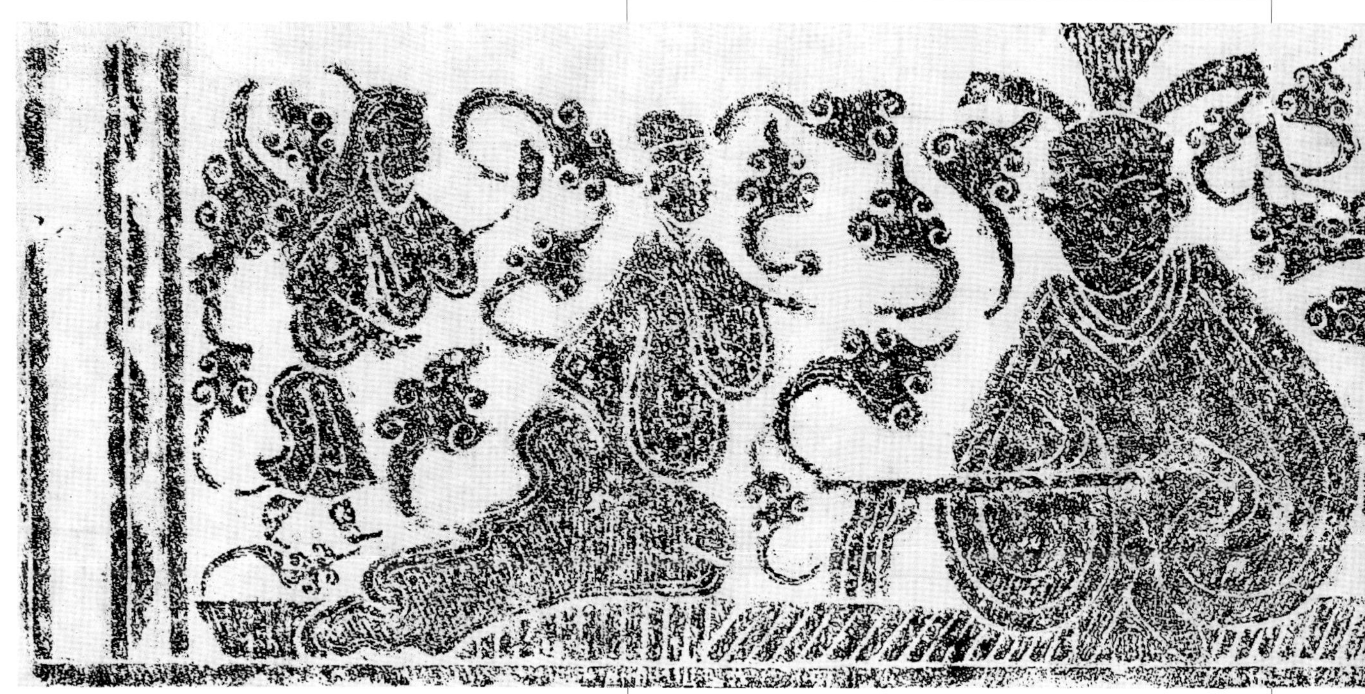

升仙畫像石

東漢

安徽定遠縣靠山鄉出土。

高60、寬184厘米。

畫面中部西王母憑几而坐，兩側有羽人導引一男一女參拜，旁立一擁彗者。

現藏安徽省定遠縣文物管理所。

車馬出行畫像石

東漢

安徽定遠縣靠山鄉出土。

高40、寬133厘米。

畫面中央刻一輛四維軺車，輿内一乘者一御者，車前一導騎，車後一騎者背金吾護衛，一挑夫隨後。

現藏安徽省定遠縣文物管理所。

蟠龍繞柱畫像石（右圖）

東漢

浙江海寧市海寧中學出土。

高105、寬20厘米。

畫面中部刻一斗三升之立柱，龍形柱礎，柱身繞龍，斗栱懸猴。

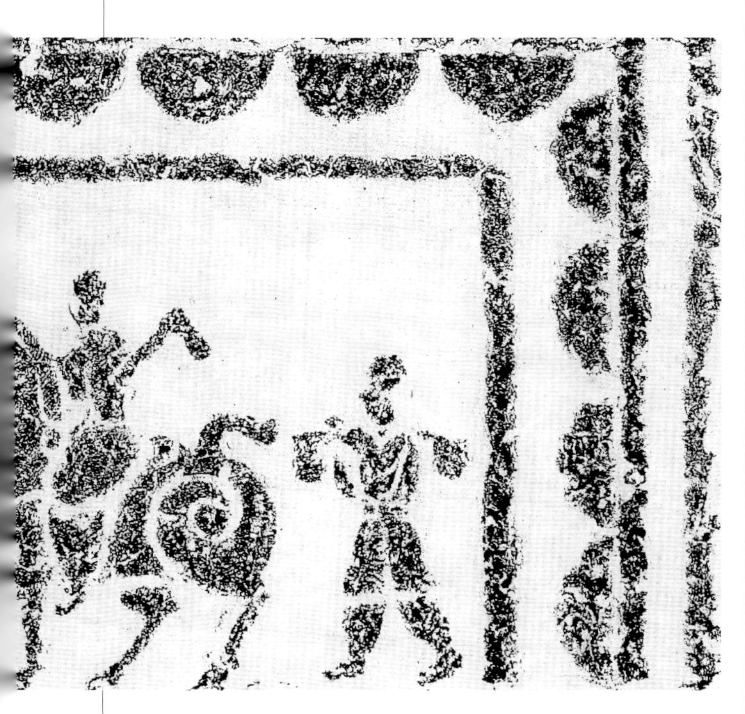

人物畫像石

東漢
浙江海寧市海寧中學出土。
高117、寬41厘米。
畫面上層刻二女子，右側女子身着長服左行作回首狀，左側女子舉燭緩行；下層二男僕側立于帷幔下，右側男僕右手持便面，左手持棒，左側男僕作拱手交談狀。

人物畫像石

東漢
浙江海寧市海寧中學出土。
高117、寬41厘米。
畫面上層人物高冠寬袖，正在添燈油；下層一人拱雙手跪地，另一人執便面侍于其後。

佛像畫像石（上圖）

東漢

四川樂山市麻浩崖墓出土。

高39.5、寬30厘米。

圖中佛像結跏趺坐，有圓形頭光，右手張開，左手執物。

現藏四川省樂山市崖墓博物館。

挽馬畫像石

東漢

四川樂山市麻浩崖墓出土。

高65、寬140厘米。

圖中一人持繩索奮力挽馬，馬的姿態極其矯健。

現藏四川省樂山市崖墓博物館。

大虎畫像石

東漢

四川樂山市柿子灣崖墓出土。

高180、寬140厘米。

圖中一虎張巨口，自半空飛騰而下。

現藏四川省樂山市崖墓博物館。

垂釣畫像石

東漢

四川樂山市麻浩崖墓出土。

高34、寬83厘米。

圖中一人蹲姿，雙手握魚竿垂釣，其前游弋着一尾鰭很長的大魚。

現藏四川省樂山市崖墓博物館。

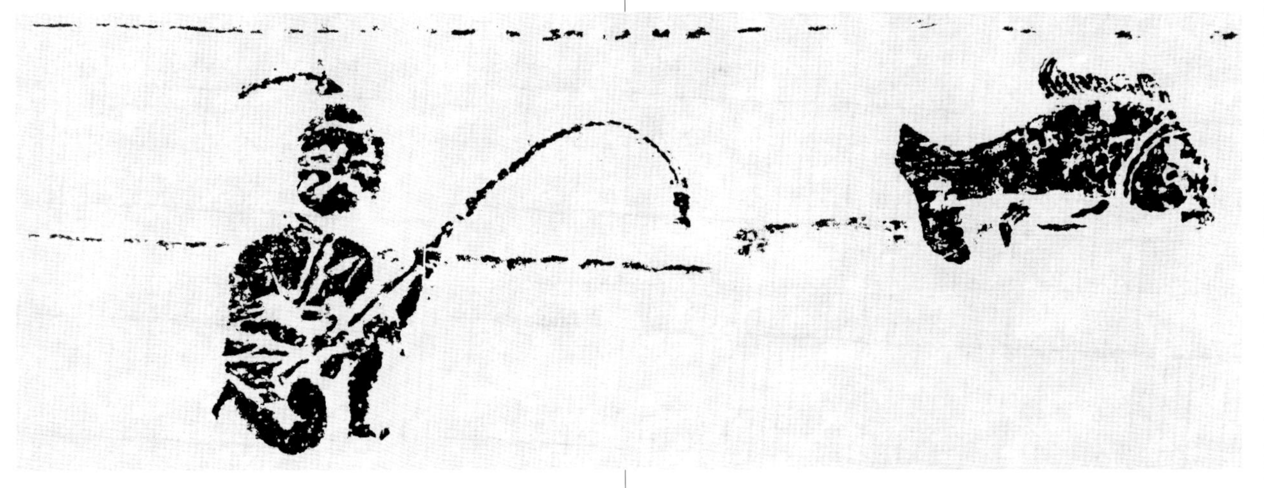

白虎撲雀畫像石

東漢
四川樂山市九峰鎮崖墓出土。
高73、寬200厘米。
圖中一白虎，張口欲食一展翅驚飛的雀鳥。
現藏四川省樂山市崖墓博物館。

輜車 青龍畫像石

東漢
四川樂山市九峰鎮崖墓出土。
高73、寬200厘米。
圖中左側一奔龍，龍上一魚；右側一輜車，車後立一人。上部爲一斗三升斗栱建築。
現藏四川省樂山市崖墓博物館。

雙闕畫像石

東漢

四川樂山市九峰鎮崖墓出土。

畫面爲重檐子母雙闕，闕内兩人對談。

現藏四川省樂山市崖墓博物館。

雙虎畫像石

東漢

四川綿陽市出土。

高60、寬135厘米。

畫面刻雙虎相戲，左側有一人觀賞。

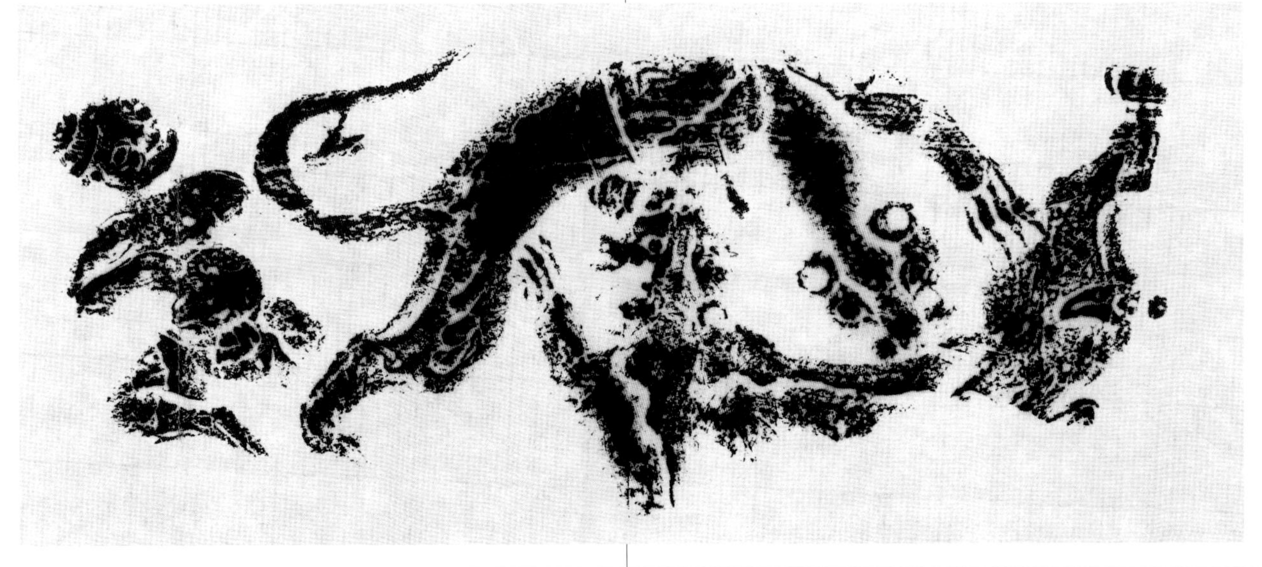

高祖斬蛇畫像石

東漢

四川雅安市姚橋鎮出土。

高30、寬65厘米。

圖中刻一戴幘披巾、右手枕頭、左手握劍之人，側卧于地作憩睡狀。右肘前有一斷蛇盤旋，脚前放一耳杯。應爲漢高祖斬蛇歷史故事。

現藏四川省雅安市漢闕博物館。

師曠鼓琴畫像石

東漢

四川雅安市姚橋鎮出土。

高31、寬60厘米。

圖中戴冠者二人相對坐于兩矮榻上，左者作彈琴狀，右者左手撫膝，右手舉袖。中間放置一豆形器，内盛一勺。天上有兩隻展翅下翔的鶴，撫琴者左下方有一對小猴，圖右下方有兩頭羊站立一旁。

現藏四川省雅安市漢闕博物館。

青龍畫像石（上圖）

東漢

四川渠縣新興鄉趙家村出土。

高44、寬66厘米。

圖中刻一青龍，張嘴昂首，前肢上部生雙翼，背生三鰭，尾巴上揚，作向前飛奔狀。龍前方有一蟾蜍。

董永侍父畫像石

東漢

四川渠縣蒲家灣出土。

圖中刻董永父坐在獨輪車上，董永站在父前，一手執鋤，一手正在爲其父扇風取凉。獨輪車後一大樹，樹上挂二水壺。

接吻畫像石

東漢
四川彭山縣第550號崖墓出土。
高49、寬43厘米。
畫中男女裸體相擁，男子右手撫女子乳房，女子左手抱男子肩頭，作親密接吻狀。
現藏故宮博物院。

雙闕 人物 瑞獸畫像石

東漢
四川彭山縣江口鎮雙河崖墓出土。
高67、寬210厘米。
畫面兩端刻雙闕，中間刻人物、駿馬和仙禽神獸等。
現藏四川省樂山市崖墓博物館。

西王母畫像石

東漢

四川彭山縣江口鎮雙河崖墓出土。

高67、寬210厘米。

畫面中央西王母端坐于龍虎座上，其左有三足烏，爲西王母覓食使者，左下有九尾狐，其右有蟾蜍和三個仙人。

現藏四川省樂山市崖墓博物館。

車馬出行畫像石

東漢

四川彭山縣江口鎮高家溝崖墓出土。

高87、寬216厘米。

圖中兩駕馬車沿大道左向疾馳，車内各有一名馭者和乘者，車後隨兩名騎吏。

現藏四川省彭山縣文物保護管理所。

狗捕鼠畫像石

東漢
四川三臺縣郪江崖墓出土。
畫面表現狗捕田鼠。

車馬出行 宴樂畫像石

東漢
四川成都市羊子山1號墓出土。
高45、長1120厘米。
畫面表現宏大的車馬出行、宴客和百戲表演等場面。此圖爲四川迄今發現的最長的畫像石。
現藏重慶市博物館。

朱雀畫像石

東漢
四川南溪縣長順坡出土。
高70、寬70厘米。
圖中朱雀頭上有羽冠，雙足踏于懸圃之上。
現藏四川省南溪縣文物管理所。

執鏡人物畫像石

東漢

四川成都市曾家包漢墓出土。

高163、寬78厘米。

左圖上部刻一帶翼卧鹿，下有一執鏡女子、一跪地男子；右圖與左圖相近，但男子站立，兩人相視低語。

現藏四川省成都市博物館。

執鏡人物畫像石之一

執鏡人物畫像石之二

紡織釀酒畫像石

東漢

四川成都市曾家包漢墓出土。

高300、寬275厘米。

畫面分爲三部分。上部爲狩獵圖；中部爲釀酒、織錦、馬厩和闌錡圖；下部左側爲一人正在提水，右一人在燒火，其右側有犬、鴨和鷄等。

現藏四川省成都市博物館。

莊園農作畫像石

東漢

四川成都市曾家包漢墓出土。

高296、寬285厘米。

畫面分爲三部分。上部爲雙羊圖，中部爲養老圖，下部爲農作圖。

現藏四川省成都市博物館。

百戲畫像石

東漢

四川長寧縣飛泉鄉七個洞崖墓出土。

高133、寬110厘米。

畫像共刻有十六個人，進行百戲表演。

迎謁 六博畫像石

東漢

四川長寧縣古河鎮出土。

高76、寬207厘米。

畫面右側刻兩株交纏在一起的連理樹，樹下兩人執禮相迎；中間刻天禄、羽人、猴及一持杖老者；左邊刻一懸圃，上有二仙人博弈。

現藏四川省長寧縣博物館。

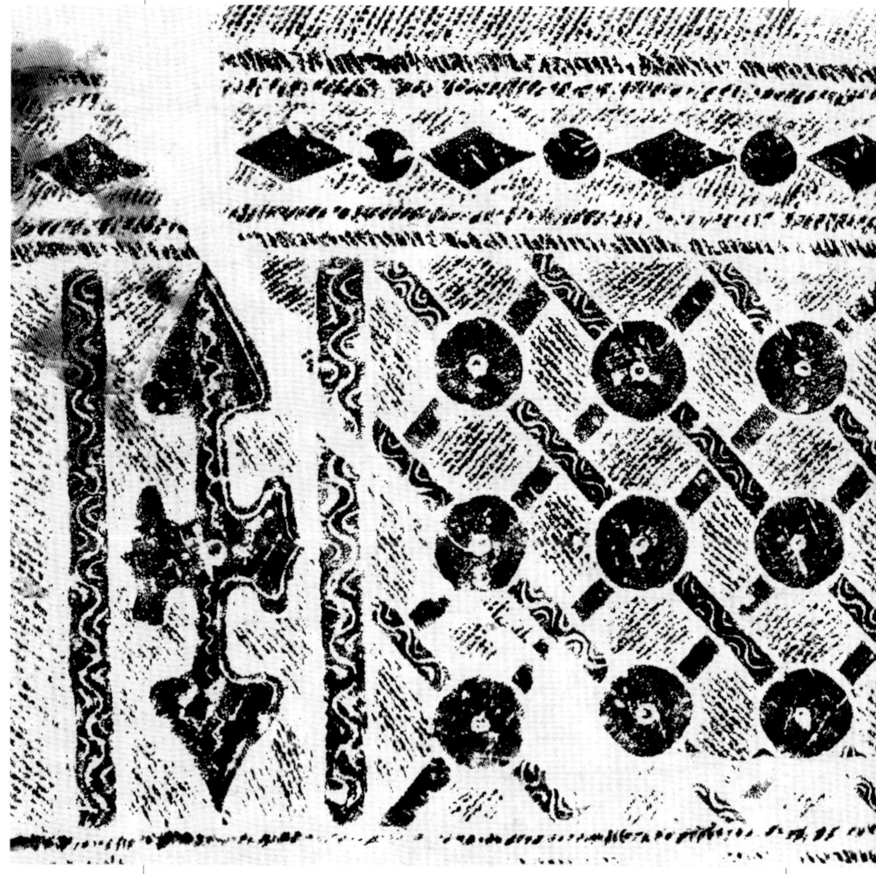

仙人 穿壁畫像石

東漢
四川長寧縣古河鎮出土。
高60、寬237厘米。
中欄刻二羽人，手執一靈芝，脚踏懸圃，二人間有靈芝。中欄兩側刻穿璧紋和柿蒂紋。

龍虎繫璧畫像石

東漢
四川郫縣新勝鎮竹瓦鋪出土。
高69、寬227厘米。
畫面中央爲龍虎繫璧，璧下一人雙手撑地，肩部承璧。上方空白處刻牛郎織女。此圖表現的是星座天象圖。
現藏四川博物院。

角抵戲 水嬉迎謁畫像石

東漢

四川郫縣新勝鎮竹瓦鋪出土。

高78、寬232厘米。

畫面上部七人，均赤足戴假面，正在表演角抵戲；下部爲水嬉及迎謁圖。

現藏四川博物院。

宴客 庖厨 樂舞雜技畫像石

東漢

四川郫縣新勝鎮竹瓦鋪出土。

高81.5、寬233厘米。

畫面左部爲樂舞雜技圖，中部爲宴客圖，右部爲車馬庖厨圖。

現藏四川博物院。

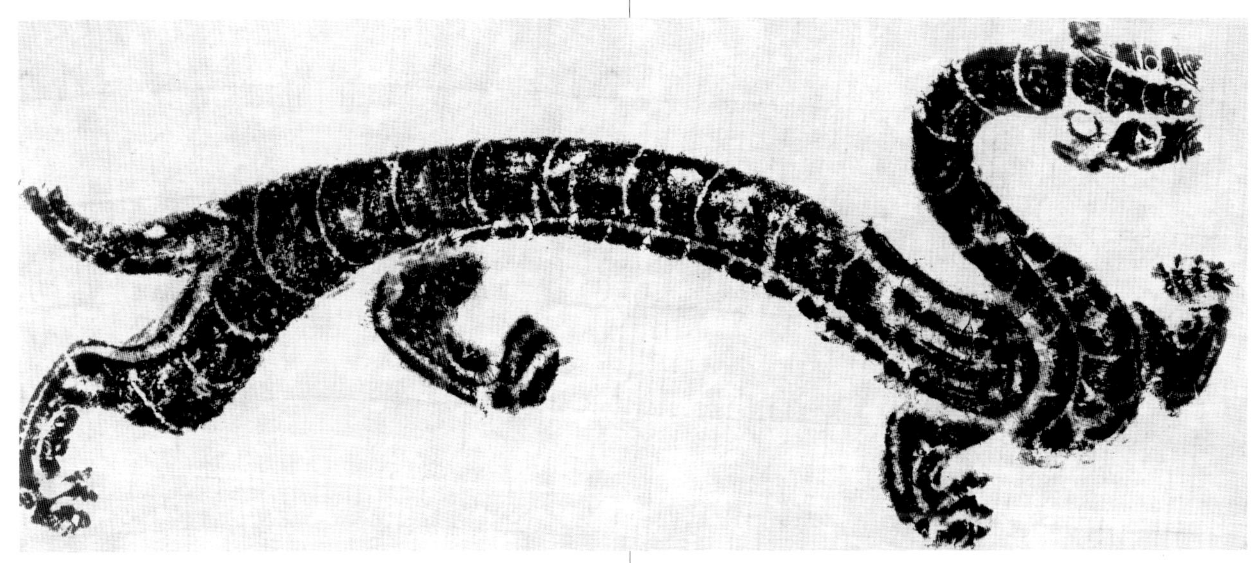

白虎畫像石

東漢

四川蘆山縣沫東鎮石羊上村王暉墓出土。

高66、寬257厘米。

圖中刻一右向奔行的白虎。

青龍畫像石

東漢

四川蘆山縣沫東鎮石羊上村王暉墓出土。

高83、寬254厘米。

圖中刻一左向奔行的青龍。龍背生三鰭。

少女 銘文畫像石

東漢

四川蘆山縣沫東鎮石羊上村王暉墓出土。

高83、寬74.5厘米。

此圖爲蘆山王暉石棺棺首畫像。棺首左側爲一門，門上刻墓志銘，一少女半露，倚門而望。

飲馬畫像石

東漢

四川滎經縣出土。

高97厘米。

圖中馬匹拴于棕櫚樹上，口大張，左側一人提桶作飲馬狀，馬後一侍馬人擔桶行進。

現藏四川省滎經縣嚴道故城遺址博物館。

秘戲圖畫像石

東漢

四川滎經縣出土。

高79、寬232厘米。

畫面左側有一男一女盤腿而坐，男的右手撫女子下頜作親密接吻狀，右側刻西王母擁几而坐。

現藏四川省滎經縣嚴道故城遺址博物館。

建築畫像石

東漢

四川都江堰市民興鄉出土。

高85、寬223厘米。

畫面右部爲四阿頂式兩層建築，下層兩側柱上有直斗，爲古代南方盛行的栅居。左部爲雙闕大門，闕下各拴一馬。

現藏四川省都江堰市文物局。

日月　先（仙）人騎 先（仙）人博畫像石

東漢

四川簡陽市董家埂鄉深洞村鬼頭山崖墓出土。

高63、寬210厘米。

畫面右上方兩仙人對博，榜題“先人博”。其左爲一戴長羽的騎馬人物，榜題“先人騎”。右下方刻一龍，龍身立一魚。中上方刻一馬車。左側二羽人，腹部皆有輪，二羽人中間榜題“日月”。羽人下方有一株短樹，榜題“柱銖”，應爲摇錢樹。左上方刻一長尾鳥，榜題“白雉”。左下方刻一牛狀動物，榜題“離利”。

現藏四川省簡陽市文物管理所。

升仙畫像石

東漢

四川合江縣張家溝2號墓出土。

高75、寬220厘米。

畫面左部刻西王母，戴山字冠，兩旁夾勝，坐于龍虎座上；中部刻雙闕大門；右部刻一馬駕棚車，車内坐一頭挽高髻的女性，車旁爲一男僕。

現藏四川省合江縣文物保護管理所。

敘談畫像石

東漢
四川合江縣勝利鎮磚室墓出土。
高84、寬224厘米。
畫面左部刻一朱雀啄魚，右部刻男女主人牽手交談，兩旁刻從者。
現藏四川省瀘州市博物館。

雜技畫像石

東漢
四川宜賓縣弓字山崖墓出土。
高50、寬102厘米。
畫面下層左至右爲表演飛劍、倒立、跳丸和鑽環；上層爲擊鼓伴奏，反身吐串珠和跳躍助興。
現藏四川省宜賓縣文物管理所。

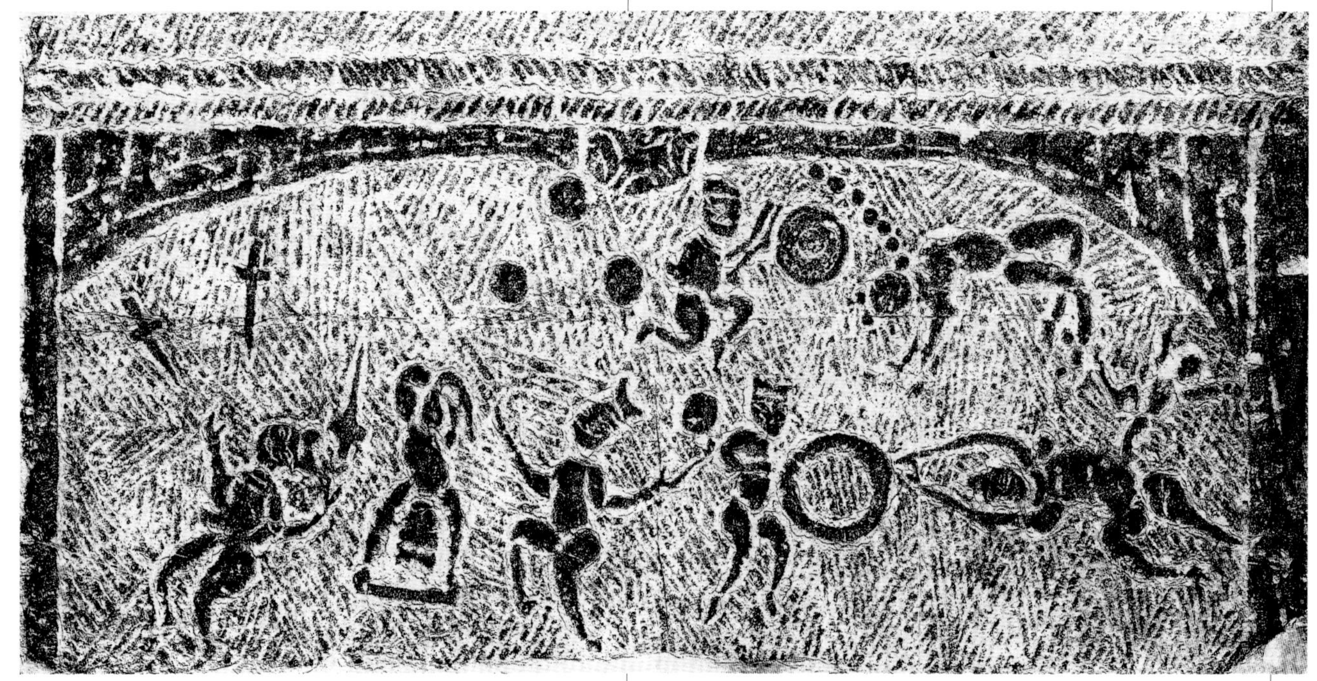

庖厨 對飲畫像石（下圖）

東漢

四川宜賓縣弓字山崖墓出土。

高50、寬82厘米。

畫面刻一帷幔，左邊一人剖魚，右邊兩人對飲。

現藏四川省宜賓縣文物管理所。

魯秋胡畫像石

東漢
四川新津縣出土。
高74.5、寬213厘米。
畫面七人，左側一男一女，女子姿態優美，男子帶劍結帶，張手注目，應是魯秋胡的故事。其餘五人姿態各异，形象刻畫生動。
現藏四川大學博物館。

龍 鹿畫像石

東漢
四川新津縣崖墓出土。
高55、寬200厘米。
畫面右側三人作交談狀，中間一龍騰起，龍爪前爲扶桑樹，樹左刻一鹿和一鳥。
原石棺已毀。

翼馬畫像石

東漢

四川新津縣崖墓出土。

高55、寬62厘米。

圖中翼馬右前腿高高抬起，左後腿用力向後蹬，作疾速行走狀。

原石棺已毁。

仙人六博畫像石（上圖）

東漢

四川新津縣崖墓出土。

高57、寬99厘米。

圖中兩仙人高髻，裸露肢體，于几案旁六博，右側仙人揚雙手作驚喜狀，其後有靈芝。

原石棺已毀。

射鳥畫像石

東漢

四川新津縣崖墓出土。

高60、寬209厘米。

畫面從左至右横貫連理樹，兩旁栖鳳鳥，樹下一人張弓射箭，空中及樹枝上共有十二隻小鳥。

原石棺已毀。

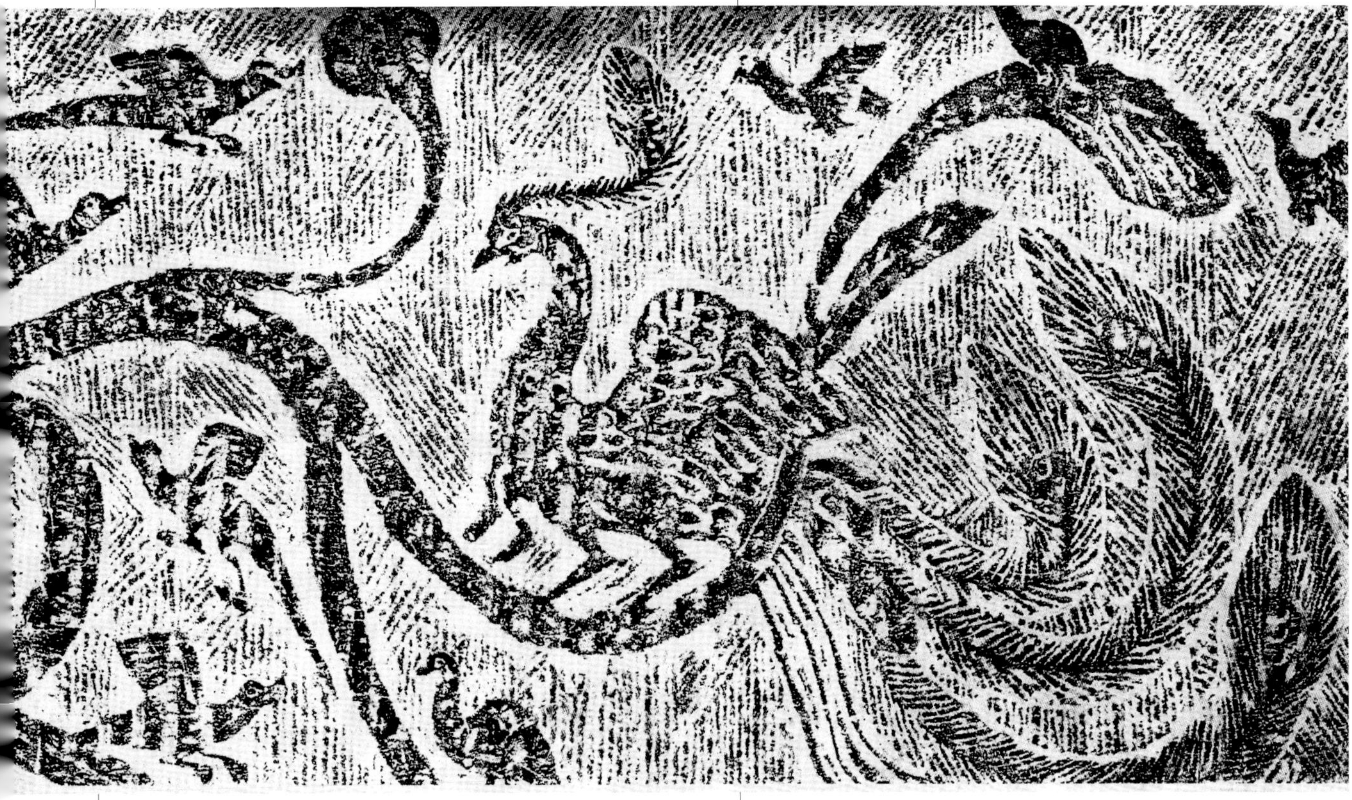

戲猿畫像石

東漢
四川新津縣崖墓出土。
高63、寬198厘米。
畫面右側一人揮劍，中間一人以長矛進刺，左側一人擁一猿作驚避狀。
原石棺已毀。

游戲畫像石

東漢
四川新津縣崖墓出土。
高63、寬80厘米。
畫面左側一人執物，右側一人伸手欲取，同時兩人舉手作投擊狀。
原石棺已殘缺。

青龍 白虎畫像石

東漢

重慶江北區龍溪鎮石券墓出土。

左圖刻一上行白虎，右圖刻一上行青龍。

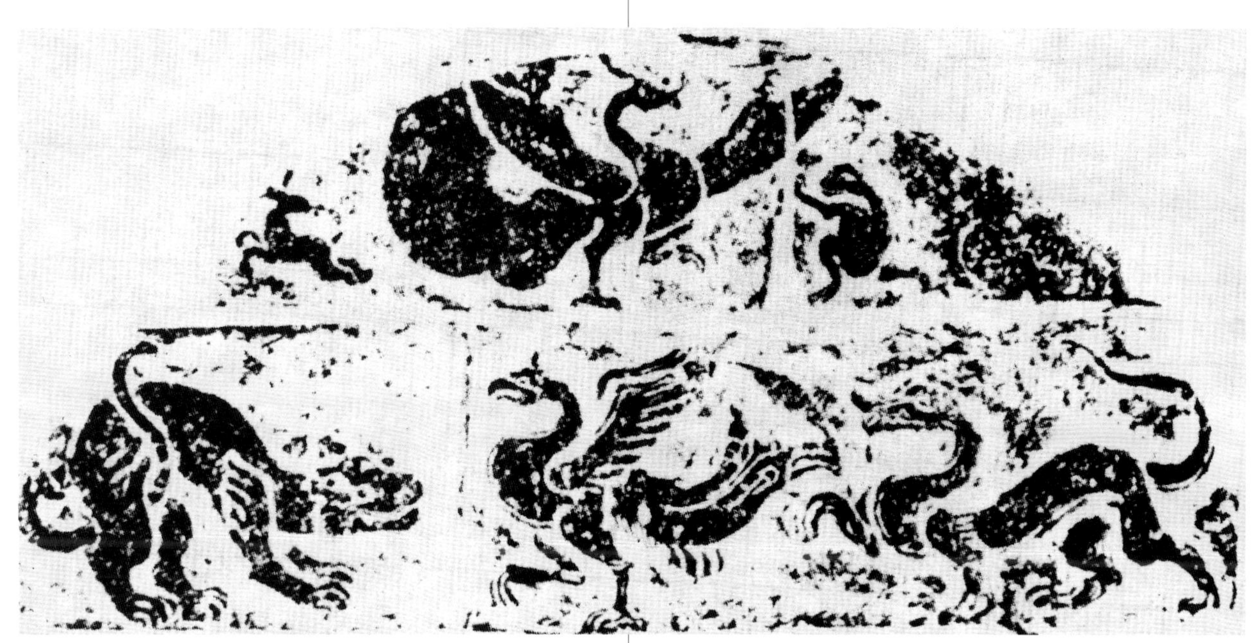

朱雀 玉兔 蟾蜍 青龍 白虎畫像石（上圖）

東漢

重慶江北區龍溪鎮石券墓出土。

畫面分兩層。上層中部刻一大朱雀，右刻蟾蜍，左刻玉兔。下層中部刻朱雀，右刻青龍，左刻白虎。

伏羲 女媧畫像石

東漢

重慶江北區盤溪漢墓出土。

高65、寬110厘米。

圖中伏羲手托日輪，輪中有金烏；女媧手托月輪，輪中有蟾蜍。兩人間有一帶翼小人，兩側爲高大的樓閣。

伏羲 女媧畫像石

東漢
重慶璧山縣廣普鎮蠻洞坡崖墓出土。
高72、寬72厘米。
圖中左爲伏羲，戴山字冠；右爲女媧，頭束髻。伏羲、女媧身着短服，各持一輪，胯下各有一蛇。
現藏重慶市璧山縣文物管理所。

雜技畫像石

東漢
重慶永川區西北鎮出土。
高70、寬190厘米。
畫面刻六人。右起一人跳劍，一人倒立，兩人跳丸；左兩人手執便面。
現藏重慶市永川區文物管理所。

墓主人畫像石

北魏

河南洛陽市翟泉村北邙山甯懋石室後墻裏壁出土。

高182、寬79厘米。

此圖爲墓主人甯懋夫婦畫像。甯懋頭戴圓形平頂高冠，兩側插雜簪，博衣寬帶。從畫面看，表現了甯懋從青年、中年到老年三個時期不同的形象。其妻也是三個形象，分別刻于甯懋身後。

現藏美國波士頓美術館。

牛車出行畫像石

北魏

河南洛陽市翟泉村北邙山甯懋石室左側山墻内壁出土。

高114、寬79厘米。

畫面爲一輛支棚牛車行于郊野，牛車後有女主人及侍女等隨行。

現藏美國波士頓美術館。

庖厨畫像石

北魏

河南洛陽市翟泉村北邙山甯懋石室後墻外壁左側出土。

高70、寬55厘米。

上層刻兩座單檐懸山式房屋，院内井旁有一人汲水，一人捧壺；下層刻庖厨場面。

現藏美國波士頓美術館。

庖厨畫像石

北魏

河南洛陽市翟泉村北邙山甯懋石室後墻外壁右側出土。

高70、寬55厘米。

上層刻廳堂人物及山林圖；下層刻庖厨場面。

現藏美國波士頓美術館。

孝行畫像石

北魏

河南洛陽市翟泉村北邙山甯懋石室右側山墻外壁出土。
高118、寬80厘米。

上層刻“董永看父助時”，當是“董永賣身葬父”的故事；下層刻“董晏母供王寄母語時”，當是“館陶公主與董偃近幸”的故事。
現藏美國波士頓美術館。

孝行畫像石

北魏

河南洛陽市翟泉村北邙山甯懋石室左側山墻外壁出土。

高118、寬97厘米。

上層刻“丁蘭刻木事親”故事，下層爲“帝舜從井中逃出”故事。

現藏美國波士頓美術館。

武士畫像石

北魏

河南洛陽市翟泉村北邙山甯懋石室門道外側壁出土。

高94、寬47厘米。

武士着鎧甲，一手執盾，一手持劍，面目猙獰。旁邊文字爲後人補刻。

現藏美國波士頓美術館。

墓志畫像

北魏

河南洛陽市張凹村爾朱襲墓出土。

高73、寬72厘米。

墓志四周刻青龍、朱雀、白虎、玄武四神，各有仙人駕馭，祥雲流逸，衣帶飄舉，四角各飾一蓮花圖案。

現藏陝西歷史博物館。

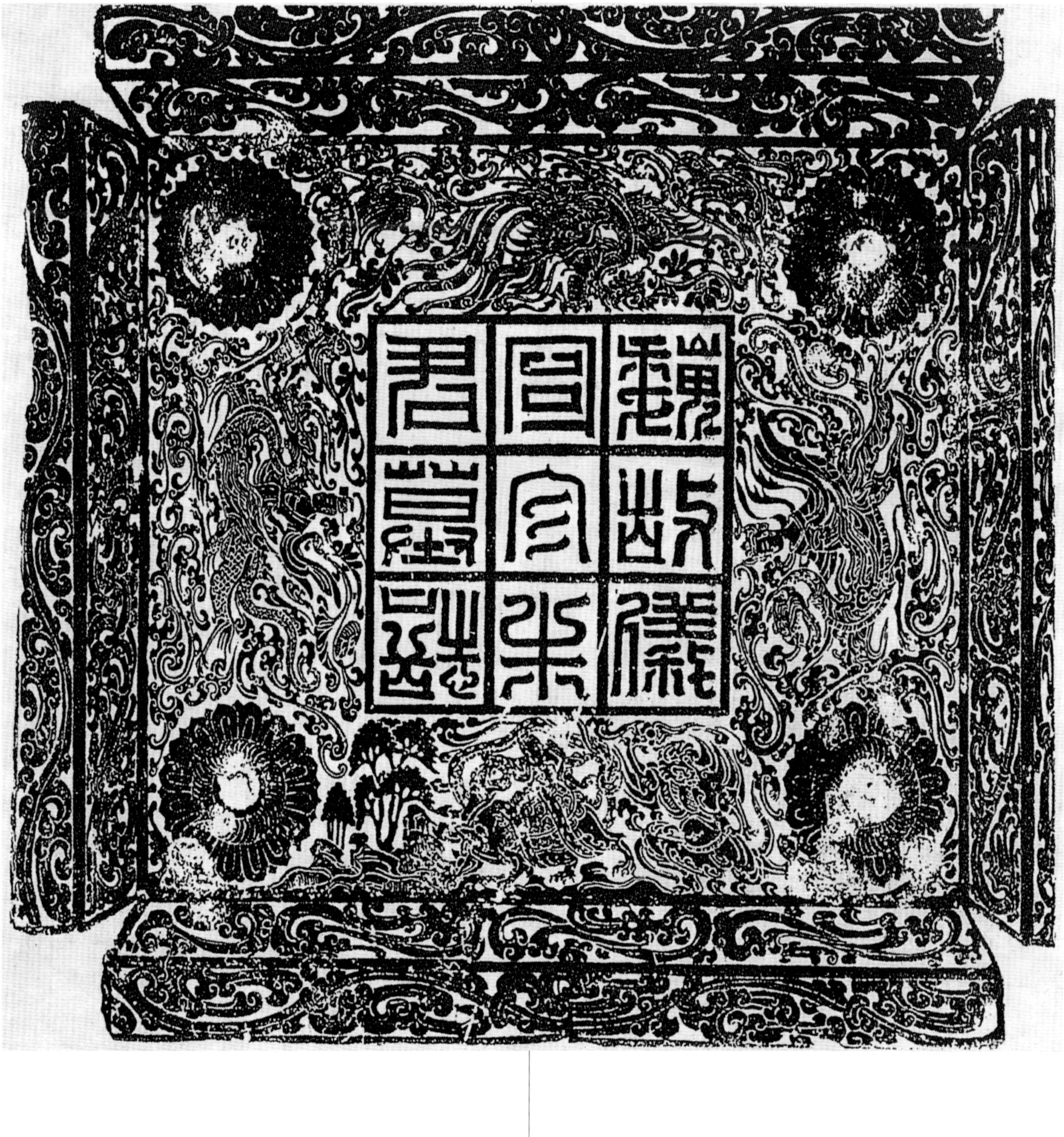

門吏畫像石

北魏

河南洛陽市北邙山上窑村出土。

高70、寬57厘米。

石棺前擋畫像。上端刻一對展翅的朱雀，中間爲一蓮花盤托的摩尼寶珠。下端兩側刻兩位簪冠、着寬袖長袍、按劍相向而立的門吏。

現藏河南省洛陽古代藝術館。

孝子故事畫像石（選兩幅）

北魏

河南洛陽市出土。

石棺兩側共刻有孝子故事畫像六幅。此選“蔡順”、“郭巨”兩幅。

現藏美國堪薩斯納爾遜－艾金斯美術館。

孝子故事圖之一

孝子故事圖之二

神獸畫像石（選兩幅）

北魏
河南洛陽市出土。
每塊高16、寬20厘米。

石棺床前部畫像。共十三個方格，除中間格内飾花卉圖案外，其餘格内均飾神獸。
現藏河南省洛陽古代藝術館。

神獸之白虎

神獸之朱雀

男子升仙畫像石

北魏

河南洛陽市北邙山上窑村出土。

高103、寬260厘米。

石棺側面畫像。畫面中央有一着褒衣博帶式袍服的男子，左手架一隻鳥，右手執羽扇，乘坐飛龍而行。前端有三位羽人引導，後面有乘龍伎樂相隨。

現藏河南省洛陽古代藝術館。

女子升仙畫像石

北魏

河南洛陽市北邙山上窑村出土。

高103、寬260厘米。

石棺側面畫像。畫面中央有一頭戴華冠的女子，左手執羽扇，右手握如意，乘坐飛龍而行。前端有三位羽人引導，後面有乘鳳女侍持華蓋相隨。

現藏河南省洛陽古代藝術館。

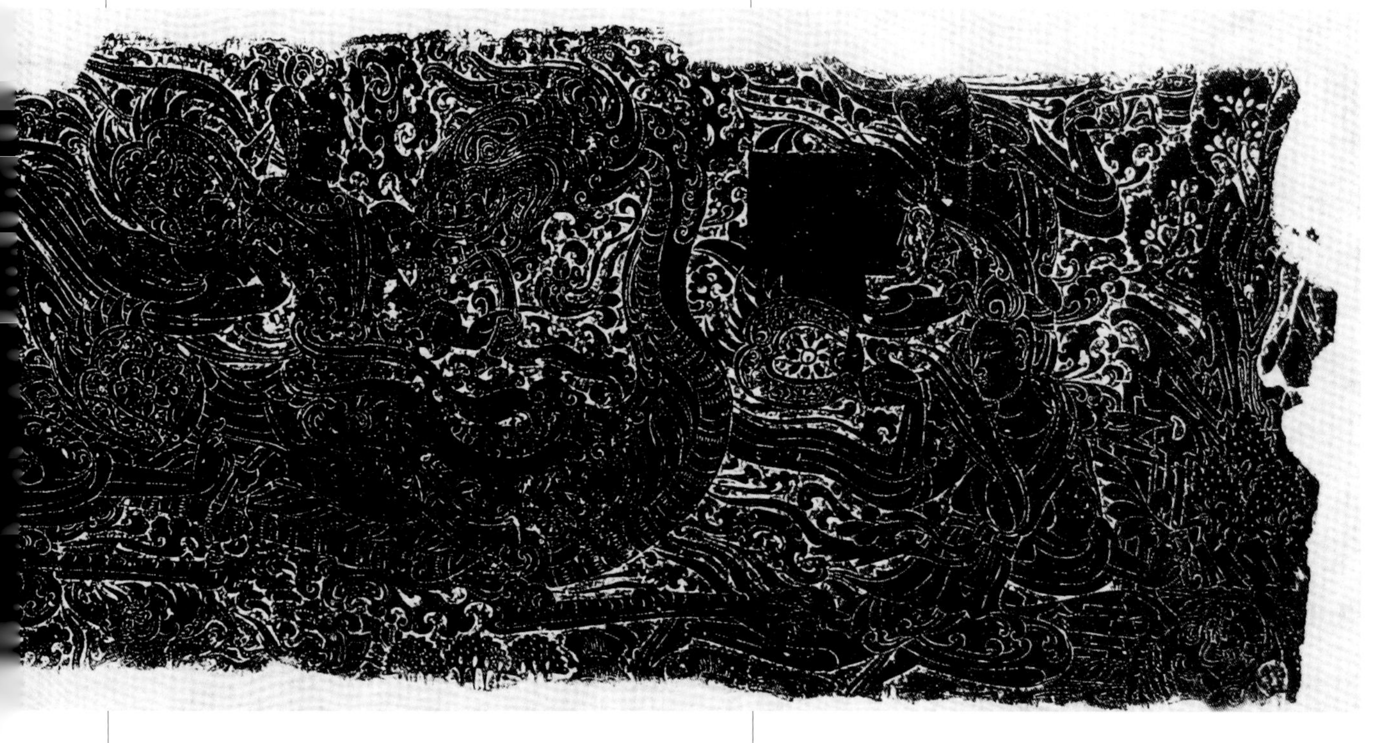

墓主人畫像石

北魏

河南洛陽市出土。

高52、寬28厘米。

棺床圍板畫像。墓主人方臉大耳，戴圓形氈帽，着寬袖長袍，攏雙手，盤坐于榻床之上。

現藏河南省洛陽古代藝術館。

郭巨孝行畫像石

北魏

河南洛陽市出土。

高52、寬28厘米。

棺床圍板畫像。圖中二人跽坐于大樹之下，一少年戴冠着長衣，一老婦梳高髻着長衣與少年對坐。身後樹下有一兒童在玩耍。爲郭巨埋兒侍母的故事。

現藏河南省洛陽古代藝術館。

老萊子孝行畫像石

北魏
河南洛陽市出土。
高52、寬28厘米。
棺床圍板畫像。圖中兩人跽坐于樹下方榻上，男性長者頭戴冠，女性長者頭梳高髻，兩人皆雙手袖于胸前，床前一人袖手而立。爲老萊子孝行的故事。
現藏河南省洛陽古代藝術館。

眉間赤孝行畫像石

北魏
河南洛陽市出土。
高52、寬28厘米。
棺床圍板畫像。圖中一男子跽坐于方榻上，戴冠着長衣，雙手袖于胸前，當爲眉間赤。榻邊一高髻戴繒之女子，亦袖手而立，當爲眉間赤之妻。
現藏河南省洛陽古代藝術館。

孝行故事畫像石

北魏

河南洛陽市李家凹南地元謐墓出土。

石棺畫像，石棺已佚，僅存拓片。畫面爲韓伯余和郭巨孝行故事。

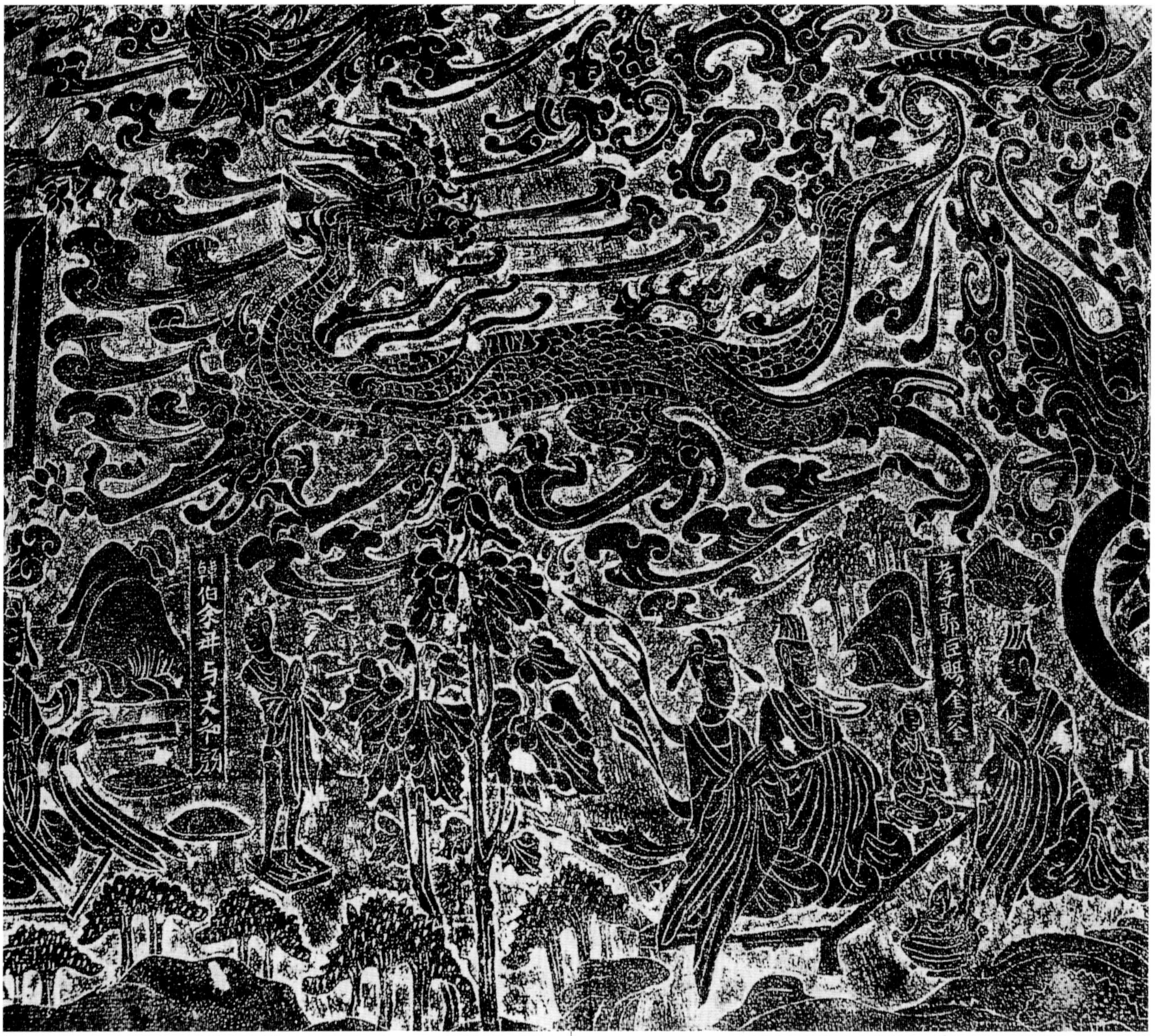

孝行故事畫像石

北魏

河南洛陽市李家凹南地元謐墓出土。

石棺畫像。畫面爲老萊子孝行故事。

墓主人畫像石

北魏

河南沁陽市西向糧管所出土。

高43、寬112厘米。

棺床欄板畫像。左起一組一位長者坐榻上，頭戴高冠，手執麈尾，爲墓主人像，其後立一持華蓋男侍；二組爲兩位戴高冠人物；三組爲二梳雙髻侍女；四組爲二侍女引領一匹小馬。

現藏河南省沁陽市博物館。

女主人畫像石

北魏

河南沁陽市西向糧管所出土。

高43、寬112厘米。

棺床欄板畫像。左起一組刻牛車、山林；二、三組刻兩對行進中的侍女；四組刻一坐于榻上的貴婦形象，當爲女主人，其後立一侍女。

現藏河南省沁陽市博物館。

仕女畫像石

北魏
河南沁陽市西向糧管所出土。
高43、寬112厘米。
棺床欄板畫像。四位仕女各持蓮花和銅鏡等。
現藏河南省沁陽市博物館。

男子畫像石

北魏
河南沁陽市西向糧管所出土。
高43、寬112厘米。
棺床欄板畫像。左起第一人立于樹下，第二人爲一戴籠冠少年，執木牘立于樹旁，第三人爲一戴冠老者，第四人爲一執蓮花跪拜人物。
現藏河南省沁陽市博物館。

吹奏畫像石

北魏
河南洛陽市出土。
高51、寬32厘米。

棺床欄板畫像。樹下五人緩步而行，分别彈阮咸、吹笙、吹排簫、持瑟和雙手合十。
現藏美國。

備馬畫像石

北魏

河南洛陽市出土。

高51、寬32厘米。

棺床欄板畫像。畫面中心爲一匹高頭大馬，馬前一人持繮牽馬，馬後二人持傘翣相隨。

現藏美國。

青龍畫像石
北魏
河南洛陽市出土。
高80、寬268厘米。
石棺側面畫像。龍生羽翼，邁步前行。底紋爲菱形格内繪神獸，周側飾雲氣紋。
現藏河南省洛陽古代藝術館。

白虎畫像石
北魏
河南洛陽市出土。
高80、寬268厘米。
石棺側面畫像。虎生羽翼，邁步前行。
現藏河南省洛陽古代藝術館。

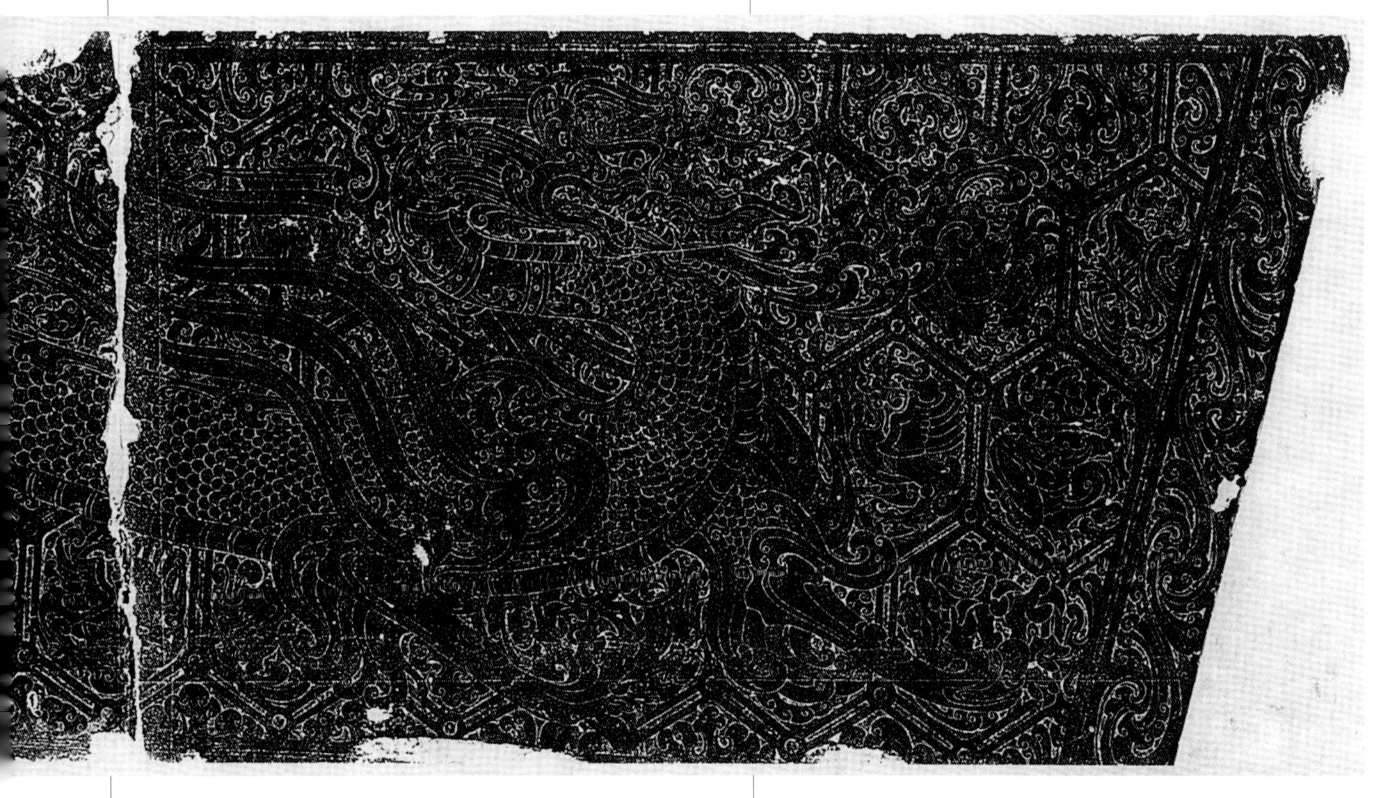

仙禽神獸畫像石

北魏

河南洛陽市出土。

高80、寬55厘米。

石棺前擋畫像。菱形格内刻仙禽神獸紋樣。

現藏河南省洛陽古代藝術館。